Доктор
Пьер Дюкан

Доктор Пьер Дюкан

350 рецептов диеты Дюкан

Москва

УДК 615.874
ББК 51.230
Д95

Dr Pierre Dukan

LES RECETTES DUKAN
Mon règime en 350 recettes

Художественное оформление *Марины Медведь*

Редакция благодарит Елену Александрову и ее дочь Ольгу
за активное участие в создании книги

Дюкан, Пьер.

Д95 350 рецептов диеты Дюкан / Пьер Дюкан ; [пер. с фр. Л. В. Ивашкевич]. — Москва : Издательство «Э», 2016. — 304 с. — (Диета доктора Дюкана).

ISBN 978-5-699-48054-8

Диета Дюкан — диета №1 в мире! А доктор Пьер Дюкан — самый популярный французский диетолог, разработавший уникальную программу похудения и стабилизации потерянного веса за 4 этапа. По его методике расставались с лишним весом Карл Лагерфельд, Дженнифер Лопес, Пенелопа Крус и Жизель Бундхен.

Доктор Дюкан уверен, что все люди нуждаются в удовольствии от еды и диета должна эту потребность удовлетворять, обеспечивая при этом стабильные результаты. В новой книге известного диетолога вы найдете 350 восхитительных рецептов, которые доставят вам удовольствие и значительно повысят вашу мотивацию, позволяя наслаждаться любимыми блюдами без ограничений: русские пельмени, пицца, сандвичи, наггетсы, всевозможные салаты, супы и рагу, нежнейшие десерты и пикантные соусы — все это доступно вам с диетой Дюкан. Все продукты, используемые в рецептах, можно найти на российском рынке. 350 рецептов из этой книги — это разнообразное меню, которое обеспечит легкий и вкусный путь к вашей идеальной фигуре.

УДК 615.874
ББК 51.230

ISBN 978-5-699-48054-8

БЛАГОДАРНОСТИ

Я хотел бы поблагодарить **Роланда Шотара**, одного из лучших шеф-поваров Парижа. В обмен на 30 потерянных килограммов после самостоятельного прочтения книги «Я не умею худеть», он предложил свою профессиональную интерпретацию моих рецептов, которые наделил грацией и изобретательностью, а последователям диеты подарил возможность худеть в окружении изысканной французской гастрономии.

Отдельное спасибо **Гаэль Буле**, обучающему шеф-повару у Алена Дюкасса, за его ценные советы по искусству создавать вкусовую музыку с простыми аранжировками, заменяя вкус жирных продуктов на чудесные ароматы полезных блюд.

ОГЛАВЛЕНИЕ

ОТ ИЗДАТЕЛЯ

Уважаемые читатели!

Каждого из нас на длинном пути к стройности подстерегают всевозможные трудности и опасности, особенно в минуты, когда чувствуется усталость от однообразия рациона, на вес стоит на одной отметке. Не секрет, что существенную роль в эффективности диеты и профилактике срывов играет возможность варьировать вкусовыми ощущениями и блюдами. Но не всякая диета может похвастаться обилием вкусов.

! МЕТОДИКА ДОКТОРА ДЮКАНА ПОЗВОЛЯЕТ НА КАЖДОМ ЭТАПЕ ЭТОЙ ДИЕТЫ ГОТОВИТЬ ПОТРЯСАЮЩИЕ БЛЮДА, И В ЭТОМ МЫ УБЕДИЛИСЬ НА ПРИМЕРЕ МНОГОЧИСЛЕННЫХ РОССИЙСКИХ ПОСЛЕДОВАТЕЛЕЙ ДИЕТЫ.

Новая книга доктора Дюкана поможет вам соблюдать диету с легкостью: вы сможете готовить простые и разнообразные блюда и даже не успеете подумать о том, что что-то вам уже приелось. Каждый день вы будете получать удовольствие от своих трапез и при этом потеряете ненужные килограммы.

Информация о допускаемых продуктах

Этапы, на которых разрешен этот рецепт

ХЛЕБ, ЛЕПЕШКИ И ПИЦЦА

Хлеб доктора Дюкана ② ③ ④

Время охлаждения 2 часа

Время подготовки: 5 минут.

Время приготовления: 5–10 минут.

1

Количество порций

Ингредиенты:

Содержит 1 допускаемый продукт

- 1 яйцо;
- 50 г обезжиренного мягкого творожка (0 %);
- 1 столовая ложка кукурузного крахмала;
- 1 чайная ложка сухих дрожжей;
- молотые специи по вкусу.

Смешать все компоненты и вылить тесто в прямоугольное блюдо размерами 15×20 см, глубиной не менее 5 мм. Накрыть пищевой пленкой (если будете печь в духовке, накрывать не надо), поставить в микроволновую печь и готовить 5 минут на максимальной мощности. Можно также выпекать хлеб 10 минут в духовке, предварительно нагретой до 200 °C (термостат 7). В конце выпечки немедленно удалить пленку с блюда и положить хлеб на поднос.

Рис. 1

Это издание содержит не только рецепты, подходящие для каждого этапа диеты Дюкана, но и дополнительную информацию, не вошедшую в первую книгу. Например, здесь вы найдете **список допускаемых продуктов**, которые позволяют еще больше разнообразить меню диеты. С помощью этих дополнительных продуктов вы сможете приготовить даже десерты, начиная с этапа «Чередование». Рецепты, в которых присутствуют такие продукты, сопровождаются фразой *«Содержит 1 допускаемый продукт»*.

! ОБРАТИТЕ ВНИМАНИЕ: ЕСЛИ ВЫ УЖЕ УПОТРЕБЛЯЛИ В ЭТОТ ДЕНЬ БЛЮДО С ПОМЕТКОЙ ***«СОДЕРЖИТ 1 ДОПУСКАЕМЫЙ ПРОДУКТ»***, ТО НЕОБХОДИМО СЛЕДИТЬ ЗА КОЛИЧЕСТВОМ ИСПОЛЬЗУЕМОГО В РЕЦЕПТЕ ДОПУСКАЕМОГО ПРОДУКТА, ЧТОБЫ НЕ ПРЕВЫСИТЬ ЕГО СУТОЧНУЮ НОРМУ.

Каждый рецепт содержит в себе следующую информацию: время подготовки и приготовления блюда, время охлаждения (если требуется, обозначено снежинкой), ингредиенты и описание процесса приготовления.

Дополнительно мы уточнили, к какому этапу подходит данный рецепт, это отмечено кружочками с номером этапа:

1 — этап «Атака»;

2 — этап «Чередование»;

3 — этап «Закрепление»;

4 — этап «Стабилизация».

Кроме того, здесь вы найдете информацию о том, разрешено ли употреблять это блюдо на третьем и четвертом этапах в белковый четверг. Рядом с рецептом расположены тарелочки с цифрами, показывающие количество получаемых порций (см. рис. 1).

! ВСЕ РЕЦЕПТЫ ТЩАТЕЛЬНО ПРОВЕРЕНЫ И АДАПТИРОВАНЫ ПОД РОССИЙСКИЕ ПРОДУКТЫ, ПОЭТОМУ ПРОБЛЕМ С ПРИГОТОВЛЕНИЕМ ВОЗНИКНУТЬ НЕ ДОЛЖНО.

Некоторые из приведенных рецептов предоставлены нашими российскими читателями, которые уже похудели на диете Дюкана и были рады помочь всем, кто находится только в начале пути. Мы благодарим их за предоставленные рецепты и фотографии и восхищаемся их способностью превратить рутинные блюда в кулинарные шедевры. Ведь среди блюд, предоставленных ими, были не просто тушеное мясо с овощами, но даже русские пельмени! Благодаря таким активным читателям мы окончательно поверили, что метод Дюкана — не просто диета, а полноценная система питания, позволяющая худеть и сохранять здоровье, наслаждаясь каждым приемом пищи.

Мы от всего сердца желаем, чтобы вы достигли своего правильного веса, и искренне надеемся, что рецепты из этой книги помогут вам в этом. Верьте в себя, готовьте и хорошейте!

С уважением, коллектив издательства «Эксмо»

Введение

ПУСТЬ МОЯ ДИЕТА СТАНЕТ ВАШЕЙ

Передавая издателю рукопись книги «Я не умею худеть», я прекрасно осознавал, что только что закончил труд всей своей жизни. Я знал, что представляю на суд своим пациентам и будущим читателям новую методику борьбы с избыточным весом, созданную мной в результате тридцати лет ежедневной медицинской практики.

Мой приход в диетологию вызвал гнев моих коллег — яростных сторонников и пропагандистов низкокалорийных диет, лилипутских порций и подсчета калорий. Я же предложил диету, основанную на белках и позволяющую **есть столько, сколько хочется, без обременительных взвешиваний порций и высчитывания их калорийности.** В то время я был очень молод, восприимчив к критике и при малейшей неудаче мог легко пасть духом. Однако эффективность и простота моей методики, ее полное соответствие психологии людей, страдающих избыточным весом, вселяли уверенность, что я на правильном пути, и прибавляли мне сил для дальнейшей работы.

Будучи от природы любознательным, изобретательным и творческим человеком, я использовал эти качества для исследований в хорошо знакомой мне области отношения людей к собственному весу. Я годами разрабатывал концепцию своей диеты и только благодаря ежедневным контактам с пациентами и безустанным поискам новых составляющих смог усовершенствовать ее.

> **!** Я ОСТАВЛЯЛ ТОЛЬКО ТЕ КОМПОНЕНТЫ, КОТОРЫЕ СПОСОБСТВОВАЛИ ЭФФЕКТИВНОСТИ ДИЕТЫ И ПОЗВОЛЯЛИ КАК МОЖНО ДОЛЬШЕ СОХРАНИТЬ ПОЛУЧЕННЫЕ РЕЗУЛЬТАТЫ.

Таким образом возникла методика питания, которую сегодня я с полным убеждением могу назвать собственной разработкой.

Отклик, который получила эта диета, ее распространение и популярность, многочисленные выражения симпатии и постоянная поддержка читателей — все это наполнило мою жизнь смыслом. Какими бы ни были мои амбиции и надежды во время написания книги «Я не умею худеть», я не мог и представить, что ее прочитает такое огромное количество читателей, она будет переведена на множество языков и издана даже в таких отдаленных и экзотических странах, как Корея, Таиланд и Болгария.

> *В отличие от большинства диет, мой метод позволяет не только потерять лишние килограммы, но и закрепить полученный результат* ❞

Моя методика своей популярностью вовсе не обязана средствам массовой информации: книгу почти никто не рекламировал. Продавалась она только потому, что ее советовали друг другу похудевшие читатели и участники интернет-форумов. С недавних пор она даже рекомендуется моими коллегами-врачами. Я начал допускать, что она содержит в себе что-то, что превосходит мое понимание, некое счастливое звено, которое позволяет читателю получить те же сочувствие, энергию и понимание, которые они ощущают при личном контакте с диетологом. С тех пор, как книга «Я не умею худеть» попала в руки читателей, я получил огромное число писем — благодарностей и свидетельств эффективности диеты. Среди них были и критические замечания, и советы по улучшению методики. В этих письмах мне прежде всего советуют обогатить методику комплексом физических упражнений и новыми рецептами блюд. Эту книгу я написал, чтобы удовлетворить второе пожелание. Но не переживайте, на первую просьбу я также незамедлительно откликнусь!

Для этого издания, содержащего рецепты блюд, совместимых с разработанной мною методикой, я воспользовался необычной изобретательностью моих пациентов. Я не могу упомянуть здесь всех, кто внес свой вклад в усовершенствование рецептов и дополнения к ним, но я всегда стараюсь сохранить название рецепта, данное его создателем.

ТЕМ, КТО НЕ ЗНАЕТ СУТИ МОЕЙ ДИЕТЫ И ЕЕ РЕКОМЕНДАЦИЙ, Я ОБЪЯСНЮ, ЧТО ЭТА МЕТОДИКА ОПИРАЕТСЯ НА ДВЕ БОЛЬШИЕ ГРУППЫ ПРОДУКТОВ ПИТАНИЯ: ПРОДУКТЫ, БОГАТЫЕ БЕЛКАМИ ЖИВОТНОГО ПРОИСХОЖДЕНИЯ, И ОВОЩИ. ЭТИ ДВЕ КАТЕГОРИИ ПРОДУКТОВ СОСТАВЛЯЮТ ДЛЯ МЕНЯ ЕСТЕСТВЕННУЮ ОСНОВУ ЧЕЛОВЕЧЕСКОГО ПИТАНИЯ.

Именно мясом и продуктами растительного происхождения питались первобытные люди около пятидесяти тысяч лет назад. Появлению человека предшествовал длительный процесс изменения его генетического кода и адаптации к условиям существования, в результате чего человек оказался в среде, подходящей для его существования. Маловероятно, чтобы человечество могло развиться в мире, где не хватало каких-то нужных его организму элементов. Момент, когда пищеварительная система Homo Sapiens и доступные продукты питания идеально гармонировали, позволил человечеству появиться на Земле.

Сегодня часто говорят, что человек является всеядным существом, имеет бесконечные возможности адаптации к новым условиям и способен приспосабливать свой желудочно-кишечный тракт и систему обмена веществ к новому питанию. Это не совсем так. Существует пища, которая подходит человеку в большей или меньшей степени. Заметьте, что, утверждая это, я вовсе не призываю вернуться к культуре питания наших предков, а всего лишь основываюсь на чистом прагматизме, признающем значимость человеческих склонностей.

Со времен зарождения человечества сложилось так, что мужчины, наделенные крепким телосложением и инстинктивными навыками, идеально подходили для охоты и рыбалки. А женщины располагали всеми необходимыми качествами для сбора фруктов и овощей. Эти продукты быстро приобрели статус основных составляющих человеческого питания — наиболее питательных, привлекательных, лучше всего приспособленных к пищеварительной системе человека.

В течение пятидесяти тысяч лет человечество развивалось вместе с этими двумя категориями продуктов, укрепляя взаимные узы. Очевидно, что человек уже не является ни охотником, ни собирателем: он начал вести оседлый образ жизни, возделывать землю, выращивать овощи и фрукты и разводить животных. Он создал цивилизацию, подчинил себе окружающую среду и научился получать из нее все необходимое, в том числе и продукты питания, создаваемые вовсе не для насыщения, а для получения гастрономического удовольствия. Таким образом, человек сам создал новый вид питания, диаметрально отличающийся от того, к которому приспособился в процессе эволюции. И сегодня он с радостью наслаждается своими творениями, ибо они очень соблазнительны, оказывают удивительное

> *«Только благодаря ежедневным контактам с пациентами и безустанным поискам новых составляющих я смог довести свой метод до совершенства»*

воздействие на чувственную сферу людей и возбуждают эмоции. К сожалению, все эти удовольствия имеют обратную сторону медали под названием **избыточный вес**. Именно поэтому сегодня многие из нас ставят себе целью прекратить набирать вес и похудеть раз и навсегда.

За последние пятьдесят лет в нашем рационе появились два питательных вещества, которые нанесли огромный ущерб человеку: **жир и сахар**. Продукты, содержащие их, раньше были редкостью и рассматривались скорее как элитные. А сегодня они заполняют полки любых гипермаркетов. До некоторых пор их не существовало вовсе. Никто не ел жирного, потому что добытое на охоте мясо не содержало много жиров, никто не ел сладкого, потому что не было сахарозы. Даже сам «король-солнце» (Людовик XIV), обитавший в неслыханной по тем временам роскоши Версальского дворца, довольствовался медом и фруктами, а других сладостей никогда и не пробовал.

Я вовсе не ратую за возвращение к скромному рациону пещерного человека.

Я ХОЧУ ЛИШЬ ОБЪЯСНИТЬ, ЧТО МОЯ МЕТОДИКА ПОХУДЕНИЯ И ВСЕ СОПУТСТВУЮЩИЕ ЕЙ ИЗМЕНЕНИЯ ПИТАТЕЛЬНЫХ НАВЫКОВ НЕ ПРЕДСТАВЛЯЮТ НИКАКОЙ ОПАСНОСТИ ДЛЯ ТЕХ, КТО ЗАХОЧЕТ СЛЕДОВАТЬ МОИМ РЕКОМЕНДАЦИЯМ.

Я знаю, что большинство экспертов в области питания выступают за использование злаков и других продуктов, содержащих углеводы (в том числе крахмал) и жиры в своих системах диетического питания. Я также убежден в полезности этих продуктов, но не на первом этапе, когда происходит основная потеря веса. Тридцать лет борьбы с избыточным весом рука об руку с моими пациентами убедили меня, что такое сбалансированное питание совершенно не подходит для эффективного похудения. Предположение, что вы можете потерять вес, сохраняя оптимальный баланс и пропорции питательных веществ, свидетельствует о полном отсутствии знаний в психологии человека, страдающего избыточным весом или ожирением.

Период потери веса можно сравнить с войной, которая должна завершиться установлением прочного мира. Невозможно представить себе сражение без усилий и использования логики. Если бы человек мог потерять лишний вес, только употребляя хорошо сбалансированные порции пищи, он не страдал бы ожирением. Невозможно объяснить пищевое поведение человека только законами термодинамики. Такие толкования причин набора веса, как малоподвижный образ жизни и слишком обильное и калорийное питание, остаются актуальными, но не проясняют ни самого процесса увеличения веса, ни тем более его причин.

> *«Создавая эту книгу, я воспользовался необычной изобретательностью моих пациентов, которые присылали мне такие рецепты, что они вполне подойдут для ресторанов самой высокой кухни»*

Если вы читаете эту книгу, значит, лишний вес всерьез начал беспокоить вас. И все это потому, что вы едите не для того, чтобы насытиться, а преследуете совершенно иную цель.

ДАЖЕ НЕ ЗНАЯ ВАС, Я МОГУ УТВЕРЖДАТЬ, ЧТО ВАШИ ЛИШНИЕ КИЛОГРАММЫ ПОЯВИЛИСЬ НЕ ОТ ТОГО КОЛИЧЕСТВА ПИЩИ, КОТОРОЕ ВЫ ПОГЛОТИЛИ С ЦЕЛЬЮ НАСЫЩЕНИЯ, А ИМЕННО ОТ ТОГО ИЗЛИШКА, КОТОРЫЙ ВЫ СЪЕЛИ, ЧТОБЫ ДОСТАВИТЬ СЕБЕ УДОВОЛЬСТВИЕ ИЛИ ИЗБАВИТЬСЯ ОТ СТРЕССА.

Именно поиск удовольствия, потребность в этом ощущении настолько сильны, что могут управлять вами, незаметно привести к ожирению и повлечь за собой страдания и угрызения совести.

Это является главной причиной и реальным объяснением ваших проблем с лишним весом.

Ежедневные встречи с пациентами и анализ их опыта убедили меня в том, насколько велика у людей неосознаваемая потребность в удовольствии. Это своеобразный импульс, достаточно сильный, чтобы затмить разум и чувство вины, нечто вроде компенсации временно или постоянно отсутствующих других удовольствий и радостей. Обычно озарение, толкающее людей на борьбу с избыточным весом, и отказ от доставляемого пищей удовольствия являются результатом осознания того, что удовольствие можно получить и во многих других сферах жизни. Именно это придает сил и вселяет надежду в то, что лучшие времена еще впереди и они могут оказаться намного прекраснее и счастливее.

В такие переломные моменты люди, страдающие лишним весом, начинают энергично бороться с ненавистными килограммами. Они хотят получить ощутимые и заметные результаты, чтобы укрепить свои надежду и мотивацию, которые легко теряются в случае неудачи или остановки потери веса. Одним словом, **им просто нужна действенная диета, которая гарантирует быстрый результат**.

> *«Период потери веса можно сравнить с войной, которая должна завершиться установлением прочного мира»*

Приняв это во внимание, я сделал ставку на эффективность диеты, не забывая о медицинской этике, которая призывает заботиться о здоровье моих пациентов, обеспечивая им долговременные результаты и стабилизацию закрепленного веса.

Долгое время я был убежден, что эффективность диеты всегда сопряжена с кратковременным отказом от множества кулинарных радостей. Но тогда я еще не знал, какими находчивыми и изобретательными окажутся мои пациенты и читатели, окрыленные мотивацией и вынужденные использовать ограниченное количество белковых продуктов и овощей, но при этом не имея никаких количественных ограничений их потребления.

В ТЕЧЕНИЕ ПЯТИ ЛЕТ Я ПОЛУЧАЛ ТЫСЯЧИ РЕЦЕПТОВ, ОСНОВУ КОТОРЫХ СОСТАВЛЯЛИ ПРОДУКТЫ ИЗ ДВУХ УПОМЯНУТЫХ ВЫШЕ КАТЕГОРИЙ. С ИСКРЕННИМ УДИВЛЕНИЕМ Я НАБЛЮДАЛ, КАК ЛЮДИ, ПРИДУМАВ НОВЫЙ РЕЦЕПТ, СТРЕМЯТСЯ ПОДЕЛИТЬСЯ ИМ С ДРУГИМИ.

Однажды утром 2005 года мне позвонил один из моих читателей. Он сказал мне, что после того, как он случайно купил на вокзале мою книгу и применил на практике все мои рекомендации, **самостоятельно похудел на 30 кг за шесть-семь месяцев**. «Всю свою жизнь я провел в ресторанах. Я шеф-повар. Я люблю готовить и затем наслаждаться приготовленными блюдами. И таким образом за годы дегустаций и чревоугодия я набрал слишком много килограммов. Ваша методика соблазнила меня, потому что я большой любитель мяса и рыбы. К тому же я люблю поесть, а ваша книга начинается со слов: **ешьте столько, сколько вам угодно**. Я использовал все свои кулинарные таланты и знания, чтобы придать моим рецептам, основанным на 100 разрешенных продуктах, вкус и лоск высокой кухни. Смакуя эти блюда на протяжении шести месяцев, я потерял вес без страданий и жертв. В благодарность я посылаю вам свой сборник рецептов, совместимых с вашей методикой. Изначально я придумал их для своего удовольствия, а теперь хочу, чтобы ваши пациенты и читатели, у которых не хватает времени или воображения на придумывание новых блюд, тоже имели возможность ими воспользоваться».

> *«Все рецепты были разработаны на основе 100 продуктов, потребление которых моя диета допускает в любом количестве, в любое время и в любых сочетаниях»*

Этот разговор не только обогатил разработанную мной диету новыми, хорошо продуманными кулинарными рецептами, но повлиял и на мою семейную жизнь. Мой сын Саша, изучающий диетологию, ознакомился с этими рецептами, и вместе с шеф-поваром они создали «лабораторию», где сейчас готовят диетические блюда. Насколько мне известно, это единственное место в Европе, где при приготовлении блюд не используются жир, масло, сахар и мука.

В своей книге я разместил все рецепты этого шеф-повара вместе с другими, может быть, менее профессиональными, но такими же креативными. Большинство из них приходят от женщин — пользовательниц интернет-форумов, которые сбрасывают вес при помощи моей методики. **Я хотел бы поблагодарить тех, кто помог мне, присылая свои рецепты.** Их слишком много, чтобы всех перечислить, но они узнают себя по названиям своих форумов: «Диета Дюкан» в русской социальной сети ВКонтакте (http://vkontakte.ru/dietadukan), французские aufeminin, supertoinette, mesregimes, dukanons, seniorplanet, doctissimo, zerocomplexe, atoute, cuisinedukan, vivelesrondes, commeunefleur, nouslesfemmes, club-régimes, e-santé, regimefacile, meilleurduchef, volcreole, forumliker, yabiladi, formemedecine, actiforum, easyforum, dudufamily...

> *«72 белковых продукта и 28 видов овощей составляют основу человеческого питания»*

Рецепты методики сгруппированы в соответствии с четырьмя этапами диеты. Первые два этапа, «Атака» и «Чередование», приводят непосредственно к потере веса. Два следующих этапа — «Закрепление» и «Стабилизация веса» — фиксируют и сохраняют правильный вес. Именно на первых двух этапах диеты рецепты играют очень важную роль, так как обеспечивают удовольствие от приема пищи, ее приятный вкус, разнообразие блюд и, конечно же, необходимое количество пищи для утоления голода. Именно для этих этапов больше всего требуется эта книга.

Разнообразие блюд настолько велико, что никакая поваренная книга не сможет вместить в себя все существующие на сегодняшний день рецепты методики. Но подождите, я еще не сказал своего последнего слова. Скоро появится издание с рецептами для этапа «Закрепление».

В книге, которую вы сейчас держите в руках, вы найдете два основных вида рецептов: рецепты блюд на основе продуктов с высоким содержанием белка и рецепты, состоящие из этих же белковых продуктов и овощей. Все рецепты были разработаны на основе 100 продуктов, потребление которых моя диета допускает в любом количестве, в любое время и в любых сочетаниях.

СУЩЕСТВУЕТ ТОЛЬКО ОДНО ОГРАНИЧЕНИЕ НА ПЕРВЫХ ДВУХ ЭТАПАХ ДИЕТЫ, ВЕДУЩИХ К ПОТЕРЕ ВЕСА: НИ В КОЕМ СЛУЧАЕ НЕ ВЫХОДИТЬ ЗА РАМКИ ПРИВЕДЕННОГО НИЖЕ СПИСКА.

100 продуктов, разрешенных на этапах «Атака» и «Чередование»

72 продукта, богатых белками:

- **12 видов мяса:** стейк, филе говядины и говяжья вырезка, ростбиф, язык, вяленое мясо типа бастурмы, эскалоп, мясо кролика, телячьи почки и печень, постная ветчина из курицы или индейки (не более 4 %);
- **рыба:** треска, хек, дорада, палтус (в том числе копченый), пикша (в том числе копченая), путассу, сайда, камбала, налим, морской сом, скумбрия, кефаль, сельдь, щука, форель, сом, карп, осетр, скат, килька, сардины, лосось (в том числе копченый), тунец (в том числе консервированный в собственном соку), крабовые палочки и крабовое мясо, икра;

- **16 видов морепродуктов:** трубач, кальмары, морские гребешки, раки, креветки серые, крупные тигровые креветки, омары, устрицы, лангустины, мидии, морской еж, осьминоги, каракатицы, крабы;
- **8 видов мяса птицы:** страусиное, перепелиное, голубиное, куриное, мясо молодого петушка, куриная печень, индейка, мясо цесарки;
- **2 вида яиц:** перепелиные и куриные яйца;
- **7 видов обезжиренных молочных продуктов** (подразумевается жирность 0 %): йогурт без сахара или с сахарозаменителем (рекомендуется стевия), зернистый или мягкий творог, творожные и плавленые сырки, молоко и кефир.

28 овощей:

- спаржа, баклажаны, свекла, мангольд, морковь, сельдерей, все виды капусты (брокколи, брюссельская, цветная, кольраби, красная), пальмито (пальмовая капуста), огурцы, кабачки, эндивий (цикорий), шпинат, зеленая стручковая фасоль, репа, лук репчатый, щавель, лук-порей, перец, тыква, редис, все виды зеленого салата, помидоры. К группе овощей я решил отнести грибы и сою.

Кроме того, вы можете употреблять любую зелень: укроп, кинзу, петрушку и т.д.

Допускаемые продукты

Помимо разрешенных продуктов я составил список продуктов, которые можно иногда употреблять, их включение в рацион необходимо для успешного окончания диеты, поэтому обратите на них свое внимание. Предлагаемый список адаптирован под русские продукты.

На втором этапе в любой день можно потреблять 2 продукта или 2 дозы одного и того же допускаемого продукта в день (например, 2 столовые ложки кукурузного крахмала).

! ДОПУСКАЕМЫЕ ПРОДУКТЫ НЕЛЬЗЯ ПОТРЕБЛЯТЬ ВО ВРЕМЯ БЕЛКОВОГО ЧЕТВЕРГА НА ЭТАПАХ «ЗАКРЕПЛЕНИЕ» И «СТАБИЛИЗАЦИЯ».

Итак, к допускаемым продуктам относятся:

- кукурузный крахмал — 1 столовая ложка или 20 г;
- обезжиренное сухое молоко (1,5 %) — 3 столовые ложки в день;
- соевая мука — 1 столовая ложка или 20 г;
- сметана 3 % — 1 столовая ложка или 30 г;
- обезжиренное какао без сахара 11 % жирности — 1 чайная ложка или 7 г;
- сосиски из птицы 10 % жирности — 100 г;
- соевый натуральный йогурт — 1 шт.;
- обезжиренный йогурт 0 % с кусочками фруктов — 1 шт.;
- белое столовое вино — 3 столовые ложки или 30 г;
- суп гаспачо — 1 стакан или 150 мл;
- оливковое масло — 3 капли для жарки или 3 г;
- соевое молоко — 1 стакан или 150 мл;
- соевый сладкий соус — 1 чайная ложка или 5 г;
- сыр до 7 % жирности — 30 г;
- обезжиренный напиток Актимель — 1 шт.;
- сироп без сахара — 20 мл;
- ягоды Гожди — от 1 до 3 столовых ложек в день, в зависимости от этапа.

БЕЛКИ — ДВИГАТЕЛЬ ДИЕТЫ ДЮКАНА

Для тех, кто не знаком с моей методикой и еще не читал книгу «Я не умею худеть», описывающую ее основы, я вкратце изложу основные идеи и принципы работы этой диеты. Но имейте в виду, что существует множество нюансов, которые я не в силах упомянуть в этой книге рецептов из-за их количества, но которые являются важными для эффективности процесса похудения, поэтому рекомендую вам все же ознакомиться с основной книгой.

Из чего состоит диета и как она работает?

Основой моей диеты, разработка которой заняла много лет моей врачебной практики и с которой началось мое увлечение вопросами питания, являются белки.

В 1970 году я предложил первую диету, основанную на одном питательном веществе. Мне с большим трудом удалось убедить коллег в необходимости использования лишь одного из трех питательных веществ. Мое предложение противоречило повсеместно господствовавшей тогда вере в низкокалорийные диеты.

СЕГОДНЯ МОЯ МЕТОДИКА НАШЛА СВОЕ МЕСТО СРЕДИ ДРУГИХ ДИЕТ КАК ОДНО ИЗ НАИБОЛЕЕ ДЕЙСТВЕННЫХ СРЕДСТВ БОРЬБЫ С ЛИШНИМ ВЕСОМ.

Однако я считаю, что она еще не занимает надлежащего первого места. Именно чистые белки, используемые в течение первых нескольких дней, являются настоящей движущей силой любой эффективной диеты и могут гарантировать ее хорошее начало: диета, не начинающаяся с впечатляющих результатов, обречена на провал.

Существует несколько теорий потери веса. Установки низкокалорийных диет: можно есть все, но в небольших количествах — чрезвычайно консервативны, и пропагандирующие их специалисты равнодушно относятся к посредственным результатам и статистике, упорно продолжая поддерживать эту стратегию питания, хотя она уже нанесла большой ущерб и из года в год усугубляет проблему избыточного веса. Ученые, которые яростно защищают низкокалорийные диеты, утверждают, что отказ от определенных питательных веществ, наоборот, ведет к набору веса, а диеты, начинающиеся с большой потери веса (особенно у тех, кто пытается похудеть впервые), заканчиваются одинаково быстрым набором веса, то есть знаменитым эффектом «йо-йо». На их взгляд, диета, основанная на одном питательном веществе, — верный путь к увеличению веса.

> *Диета, не начинающаяся с впечатляющих результатов, обречена на провал, поэтому моя методика начинается с этапа «Атака», на котором вы моментально теряете много веса*

Очевидно, что такие случаи встречаются, но они вовсе не закономерны и чаще всего являются результатом изначального применения безрассудных диет: например, диеты, основанной только на супах, или диеты «Беверли-Хиллз», суть которой заключается в употреблении одних лишь экзотических фруктов, или же очень длительных и изнурительных низкокалорийных диет и, наконец, диеты на белковых порошках, особенно опасной для обмена веществ, так как она ограничивается потреблением одного белка в концентрированном виде (98 %). Все вышеперечисленные методы похудения зачастую приводят к разочарованию и повторному набору веса.

Их общим недостатком является игнорирование этапа стабилизации веса — как диетологами-сторонниками здравых советов в стиле: «следите за тем, что вы едите», «не ешьте слишком много», так и воодушевленными первыми успехами пациентами, которые думают, что риск повторного набора веса их не касается. Очевидно, что и те, и другие ошибаются.

ТОЛЬКО ПОЛНОЦЕННЫЙ ЭТАП СТАБИЛИЗАЦИИ ВЕСА С КОНКРЕТНЫМИ, ТОЧНЫМИ, ЛЕГКО ЗАПОМИНАЮЩИМИСЯ, ПРОСТЫМИ ПРАВИЛАМИ, ЭФФЕКТИВНЫМИ НАСТОЛЬКО, ЧТО ПЕРВЫЕ РЕЗУЛЬТАТЫ МОЖНО УВИДЕТЬ В БЛИЖАЙШИЕ НЕДЕЛИ И МЕСЯЦЫ; ТОЛЬКО ВСЕОБЪЕМЛЮЩАЯ И ХОРОШО СПЛАНИРОВАННАЯ СИСТЕМА ДЕЙСТВИЙ МОГУТ ПРЕДОТВРАТИТЬ НЕУДАЧИ И ВОЗВРАЩЕНИЕ ИЗБЫТОЧНОГО ВЕСА.

Объявить войну некоторым конкретным диетам необходимо! Всем диетам без исключения — нет! Это бы значило вместе с водой выплеснуть и ребенка. Но среди многочисленных диет — слишком эффективных, агрессивных и противоестественных — именно порошковая диета нуждается в особом контроле, и лучше всего будет отдать ее на строгое усмотрение врачей или даже психиатров.

Я хотел бы рассказать вам одну историю, которая, безусловно, развлечет вас и продемонстрирует мое отношение к белковым порошкам, полученным промышленным путем.

Зимой 1973 года секретарь связала меня с каким-то мужчиной, который с выразительным скандинавским акцентом рассказал мне, как после покупки одной из моих книг и применения моей диеты он без лишних усилий, всегда наедаясь досыта, потерял приличное количество килограммов.

— Я проездом в Париже и хотел бы встретиться с вами, чтобы лично поблагодарить и пожать вам руку.

Несколькими часами позже в моем кабинете появился скандинавский великан лет пятидесяти.

— Вы изменили мою жизнь, даже не подозревая об этом. Поэтому я хотел бы передать вам этот подарок, — вытащил из своей сумки и положил мне на стол красивого лосося впечатляющих размеров. — У нас в Норвегии много лососевых ферм, где мы разводим рыбу, и вот один из лучших образцов моего фьорда, которого поймали и приготовили по традиционному рецепту специально для вас.

Я люблю лосося, и поблагодарил от всего сердца.

— Это пустяк. Настоящий подарок здесь.

И он достал из своей волшебной сумки алюминиевый цилиндр, чем-то похожий на коробку для шляпы, без всяких надписей.

— Знаете ли вы, доктор, что в этой коробке? Ваш успех!

Он снял крышку, и я обнаружил внутри белый порошок.

— Позвольте мне объяснить.

Оказывается, что он также владеет несколькими молокозаводами в Нидерландах.

— Мы производим масло, но не знаем, что делать с сывороткой. Это побочный продукт, который идет на корм свиньям. Знаете ли вы, что содержится в этой сыворотке? Растворимые глобулины молока, белки в чистом виде! Я отдам вам тонны белкового порошка, и вы сможете изготовлять из него белковые препараты для похудения.

Этот человек был настоящим провидцем. Десять лет спустя протеиновый порошок стал одним из самых продаваемых продуктов для похудения в мире.

«Белковая диета является движущей силой моего метода»

— Спасибо вам большое за лосося. Угощаясь им, я буду думать о вас и ваших фьордах. Но я не приму ни коробку, ни ее содержимое. Не хочу я такой славы своим белкам. Возможно, вы не знаете этого, но ваш первый подарок, этот замечательный лосось, является не только источником белка. Я уже мысленно представляю тот момент, когда я покажу его своей семье и мы вместе с большим удовольствием будем смаковать его. Я не хочу есть этого лосося в виде порошка. И если я не хочу чего-то для себя, так почему же я должен предлагать это моим пациентам и всем людям, которые мне доверились?

Вернемся к моему методу, который изначально назывался «Проталь». Он складывается из четырех последовательных и связанных между собой этапов, которые позволяют человеку, стремящемуся похудеть, достичь и удержать определенный вес.

Эти четыре последовательных этапа, с постепенно уменьшающейся эффективностью, имеют следующие цели:

- первый этап «Атака» — вызывает и стимулирует потерю килограммов за очень короткий срок;
- второй этап «Чередование» — обеспечивает регулярную потерю лишних килограммов и позволяет достичь правильного веса;
- третий этап «Закрепление» — один килограмм потерянного веса закрепляется за десять дней;
- четвертый этап «Стабилизация» — окончательное удержание достигнутого веса при обязательном условии: один день строгой белковой диеты в неделю до конца жизни.

Действие всех четырех этапов основано на различных принципах и отличается результатами, но все этапы черпают свою силу и эффективность в использовании белков. На этапе «Атака» это чистые белки, на этапе «Чередование» — белковые дни, чередующиеся с белково-овощными, на этапе закрепления веса белки распределены равномерно, и, наконец, на заключительном этапе стабилизации веса — только один белковый день в неделю.

Первый этап «Атака» — строгая белковая диета — работает независимо от его продолжительности (от двух до семи дней) и застает ваш организм врасплох. Затем та же диета используется попеременно с овощами, задает ритм и интенсивность второму этапу диеты и приводит к желаемому весу. Этот этап иногда используется как основа для фиксации веса в переходный период между потерей веса и возвращением к нормальной пище.

БЕЛКОВЫЙ ДЕНЬ СОХРАНЯЕТСЯ ДО КОНЦА ЖИЗНИ, НО ТОЛЬКО ОДИН ДЕНЬ В НЕДЕЛЮ, ЧТОБЫ СТАБИЛИЗИРОВАТЬ ВЕС. В ОБМЕН НА ЭТО МАЛЕНЬКОЕ УСИЛИЕ ШЕСТЬ ДНЕЙ В НЕДЕЛЮ ВЫ МОЖЕТЕ ПОТРЕБЛЯТЬ ПИЩУ БЕЗ СПЕЦИАЛЬНЫХ ОГРАНИЧЕНИЙ И ОЩУЩЕНИЯ ВИНЫ.

Теперь я опишу особый стиль питания и объясню, в чем заключается его удивительная эффективность, которая гарантирует устойчивость достигнутого веса и его стабилизацию.

Три принципа диеты

1. Диета должна быть богата белками

Где найти чистый белок?

Белки, как животные, так и растительные, являются строительным материалом живого вещества, а это значит, что мы можем найти их в самых известных продуктах питания. Чтобы белковая диета смогла в полной мере проявить себя, она должна быть основана на продуктах, состоящих почти исключительно из чистого белка. На практике чистый протеин найти невозможно, кроме, разве что, яичного белка.

Растения, даже с высоким содержанием белка, слишком богаты углеводами. Это относится ко всем зерновым, зернобобовым и крахмалосодержащим культурам, в том числе и к сое, которая состоит из высококачественного белка, но чересчур жирная и содержит очень много углеводов. Эти свойства исключают данные продукты из первых этапов диеты.

То же самое касается и продуктов животного происхождения, которые содержат много белка, но слишком жирные: свинина, баранина, ягнятина, такая домашняя птица, как гусь и утка, и некоторые части говядины и телятины.

Однако есть продукты животного происхождения, которые хоть и содержат не только чистые белки, но по своему составу близки к ним и поэтому играют важную роль во время диеты:

- говядина, за исключением антрекота и реберной части;
- телятина, приготовленная на гриле;
- домашняя птица, за исключением уток и гусей;
- все виды рыбы, в том числе с голубоватым окрасом кожи, которая, несмотря на свою жирность, защищает сердце и кровеносные сосуды;
- ракообразные и моллюски;
- яйца, белок которых является превосходным примером чистейшего белка, но яичные желтки, к сожалению, содержат слишком много жиров;
- обезжиренные молочные продукты очень богаты белками. Хотя они содержат некоторое количество углеводов, их вкусовые качества позволяют включить их в список продуктов, богатых белками, образуя ударную силу моей диеты.

Белок снижает калорийность блюд

Питание человека или животного состоит из смеси белков, жиров и углеводов в разных пропорциях. Но существует идеальный баланс между этими тремя питательными веществами. Для человека это 5–3–2: 5 частей углеводов, 3 части жира и 2 части белка — такое соотношение довольно близко к составу грудного молока.

При таком оптимальном соотношении в тонкой кишке поглощается максимальное количество калорий, что и способствует набору веса.

С другой стороны, чтобы помешать максимальному поглощению калорий и уменьшить энергетическую ценность пищи, **достаточно изменить эту пропорцию**. Теоретически, наиболее радикальное сокращение поглощаемых калорий может быть достигнуто, если худеющий будет потреблять пищевые продукты, содержащие только одно питательное вещество.

> *Белки промышленного происхождения, содержащие 98 % белка, опасны для худеющего именно из-за высокого содержания белка и отсутствия вкусового разнообразия*

На практике этот метод уже пытались использовать в разных странах. Например, в США: углеводная диета «Беверли-Хиллз», состоящая только из одних экзотических фруктов, и диета, сосредоточенная на потреблении жиров (диета «Эскимо»). Но потребление одних только углеводов или жиров трудноосуществимо и может повлечь за собой неблагоприятные последствия. Чрезмерное потребление сахара будет способствовать развитию диабета. Избыточное потребление жиров, кроме неизбежного отвращения, может плохо отразиться на сердечно-сосудистой системе. Кроме того, отсутствие жизненно необходимых белков приводит к тому, что организм начинает черпать их из мышечной ткани.

Таким образом, диета, включающая всего одно из трех питательных веществ, является приемлемой лишь для белков. Только белковая диета не рискует вызвать атеросклероз (засорение артериальной системы) и по определению полностью исключает недостаток белков. Кроме того, она отличается высокими вкусовыми качествами пищи.

Когда мы начинаем питаться только белковой пищей, органам пищеварения очень трудно справиться с ее перевариванием. Они приспособлены переваривать другой состав питательных веществ и поэтому не могут в полной мере использовать калорийность поступающей пищи. При таких обстоятельствах организм извлекает только калории, необходимые для поддержания своих органов (мышц, клеток крови, кожи, ногтей), а остальные использует плохо или вообще не использует.

Усвоение белка сопровождается значительной тратой калорий

Чтобы понять вторую функцию белков, которая и обеспечивает эффективность моей диеты, необходимо объяснить понятие **специфически-динамического действия** (СДД) пищи, которое является не чем иным, как затратой энергии на переваривание и всасывание пищевых веществ.

> *«Максимум калорий усваивается человеком в соотношении 5–3–2: 5 частей углеводов, 3 части жира и 2 части белка. Чтобы помешать этому, достаточно изменить эту пропорцию»*

Количество энергии, затрачиваемой на СДД, зависит от состава и молекулярной структуры продуктов питания. Когда вы потребляете 100 калорий белого сахара — быстрых углеводов, состоящих из простых молекул, вы усваиваете их быстрее, и организм расходует на их переваривание и переработку только 7 калорий. 93 калории остаются невостребованными. Поэтому принято считать, что **СДД углеводов составляет 7 %**. Когда вы съедаете 100 калорий сливочного или растительного масла, ваш организм использует чуть больше энергии и на их переваривание тратит 12 калорий, в результате чего остается 88 калорий. Таким образом, **СДД жиров составляет 12 %**.

И наконец, при потреблении 100 калорий чистого белка — яичного белка, обезжиренного творога, рыбы — организму необходимо выполнить огромную работу, так как белки состоят из очень длинных цепей молекул, звенья которых, аминокислоты, очень сильно связаны между собой, что требует гораздо больших затрат энергии на их переработку. Эти расходы энергии соответствуют 30 калориям. Так что остается только 70 калорий и поэтому **СДД белка составляет 30 %**.

! ПРИ УСВОЕНИИ БЕЛКА ВЫДЕЛЯЕТСЯ ТЕПЛО, И ТЕМПЕРАТУРА ТЕЛА УВЕЛИЧИВАЕТСЯ — НЕ РЕКОМЕНДУЕТСЯ КУПАТЬСЯ В ХОЛОДНОЙ ВОДЕ ПОСЛЕ ПРИЕМА БОГАТОЙ БЕЛКАМИ ПИЩИ, ТАК КАК РАЗНОСТЬ ТЕМПЕРАТУР МОЖЕТ ВЫЗВАТЬ ОБМОРОК ОТ ХОЛОДНОГО КУПАНИЯ.

Это свойство белка беспокоит только рьяных купальщиков и является настоящим благом для желающих похудеть. Ведь оно позволяет им безболезненно расходовать калории и нормально питаться, не думая постоянно о последствиях.

В конце дня после употребления белковых продуктов и переваривания 1500 калорий (что является суточной нормой) в организме остается лишь 1000 калорий. Это один из секретов моей диеты, одна из причин ее успеха. Но это еще не все...

Чистые белки уменьшают чувство голода

Употребление сладких или жирных продуктов, которые легко перевариваются и усваиваются, вызывает ложное чувство сытости, за которым следует триумфальное возвращение голода. Последние исследования показывают, что перекус чем-нибудь сладким или жирным между двумя основными трапезами вовсе не означает более позднего наступления голода и уменьшения количества съедаемого во время очередного приема пищи. А вот **белковый перекус задержит время очередного приема пищи и уменьшит ее количество.**

Кроме того, при потреблении только продуктов, содержащих белки, вырабатываются кетоновые тела, которые убивают чувство голода, что, естественно, приводит к намного более продолжительному ощущению сытости. Через два–три дня употребления чистой белковой пищи голод полностью исчезает, и диета может быть продолжена без постоянного ощущения голода, ставящего под угрозу большинство других диет.

Белки предотвращают отеки и задержку жидкости в организме

Некоторые типы диет являются «гидрофильными», предусматривают обильное потребление фруктов, овощей и минеральных солей, способствуют задержке воды в организме и сопровождаются отеками.

В отличие от них богатая белками диета «гидрофобна». Это обеспечивает нормальное мочеиспускание и, соответственно, выведение избытка воды из отечных тканей, что очень полезно в предменструальный период и во время пременопаузы.

МОЯ ДИЕТА ВО ВРЕМЯ ПЕРВОГО ЭТАПА СОСТОИТ ИСКЛЮЧИТЕЛЬНО ИЗ ЧИСТЫХ БЕЛКОВ, ОБЛАДАЮЩИХ ХОРОШИМИ ГИДРОФОБНЫМИ СВОЙСТВАМИ.

Это свойство особенно важно для женщин. Когда полнеет мужчина — главным образом потому, что потребляет слишком много лишних калорий, — излишки калорий у него просто накапливаются в организме в виде жира. У женщин механизм набора веса зачастую является более сложным и связан с задержкой жидкости, что затрудняет и снижает эффективность диеты.

В некоторые моменты менструального цикла, за 4–5 дней до менструации или в переломные моменты в жизни женщины: половое созревание, начало половой жизни, гормональные расстройства и длительная пременопауза, особенно у полных женщин, — появляются все симптомы задержки воды в организме:

вялость, вздутие живота, отечность лица утром, рыхлость тела, ватность и опухание пальцев рук — так, что многие даже не могут снять кольца с пальцев, — тяжесть в ногах и лодыжках. Задержка жидкости сопровождается набором веса — процессом обратимым, но он может превратиться и в постоянный избыточный вес. Иногда женщины в таких ситуациях садятся на диеты для восстановления изначального веса и с удивлением обнаруживают, что они совсем неэффективны.

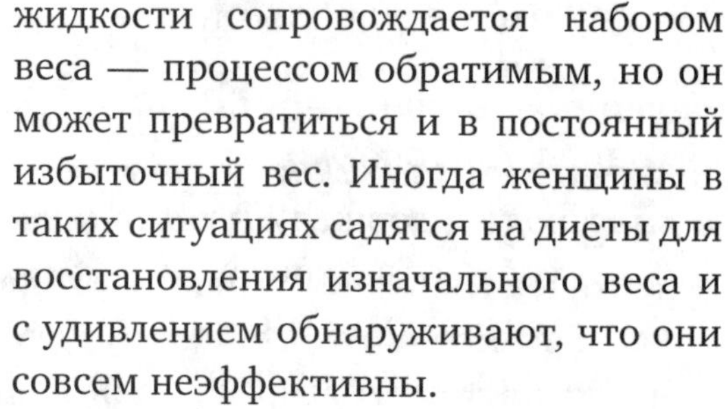

«Организм больше всего усилий затрачивает на переваривание белковой пищи — 30 % от полученной энергии»

В этих достаточно часто встречающихся случаях чистый белок, используемый на этапе «Атака», становится наиболее эффективным и быстродействующим средством. В течение нескольких дней, даже нескольких часов, ткани, пропитанные водой, иссушаются, что дает ощущение внутреннего комфорта и легкости и, естественно, повышает мотивацию худеющих.

Белки повышают сопротивляемость организма

Это качество белка, хорошо известное диетологам, давно заметили и непосвященные люди. Прежде чем изобрели антибиотики, для лечения туберкулеза использовались традиционные методы, а именно — значительное увеличение белка в рационе. Когда-то в Берке, французском курортном городе на южном побережье Ла-Манша, молодых пациентов, больных туберкулезом, заставляли пить кровь животных.

Сегодня тренеры рекомендуют спортсменам для укрепления организма рацион с высоким содержанием белков. Врачи делают то же самое, когда хотят повысить сопротивляемость организма к инфекции при лечении анемии или для ускорения заживления ран.

Это является отличным преимуществом диеты, так как обычно при потере веса организм ослабевает. Лично я заметил, что первый этап «Атака», состоящий исключительно из чистого белка, является наиболее стимулирующим. Некоторые пациенты даже говорили, что почувствовали прилив сил, бодрость и улучшение настроения уже на второй день диеты.

Белки позволяют терять вес, не ослабляя мышцы и сохраняя тонус кожи

Этот вывод не должен вызывать удивления, потому что кожа и мышцы состоят в первую очередь из белка. Диеты, в которых не хватает белка, вынуждают организм использовать белки мышц и кожи. В результате они теряют эластичность, не говоря уж о риске развития ломкости костей, которые и без того хрупки у женщин в период менопаузы. Результат всех этих эффектов — старение тканей, кожи, волос и общего внешнего вида, что, как правило, замечают другие, поэтому все эти факторы ведут к досрочному прекращению такой диеты.

> *«В отличие от перекусов печеньками белковый перекус задержит время очередного приема пищи и уменьшит количество ее потребления»*

С другой стороны, в богатой белком диете, особенно в рамках ее первого, чисто белкового этапа, у организма нет причин расходовать свои резервы, так как он получает достаточное количество этого жизненно важного вещества.

В УСЛОВИЯХ РЕЗКОЙ ПОТЕРИ ВЕСА В РАМКАХ МОЕЙ ДИЕТЫ МЫШЦЫ ТОНИЗИРУЮТСЯ И СОХРАНЯЮТ СВОЮ ПРОЧНОСТЬ, КОЖА ОСТАЕТСЯ ГЛАДКОЙ И ЧЕЛОВЕК ТЕРЯЕТ ВЕС, НЕ СТАРЕЯ.

Эта особенность моей методики может показаться незначительной полным молодым женщинам с хорошо развитой мускулатурой и здоровой кожей. Но она приобретает особую актуальность в особо трудный период пременопаузы или у женщин со слабыми мышцами и тонкой нежной кожей. В нынешнее время многие представительницы прекрасного пола, следуя диете, берут в качестве ориентира только один показатель — стрелку весов. Вес не может и не должен играть такую существенную роль, поскольку эластичность и упругость кожи, мышечной ткани и общий тонус организма являются элементами, которые в полной мере участвуют в создании женской внешности.

2. Диета должна сопровождаться обильным питьем воды

Проблема питья воды во время диеты всегда казалась немного запутанной. На эту тему существует удивительное разнообразие мнений, но их, к сожалению, слишком много и, как назло, каждое новое противоречит тому, о котором вы уже слышали.

На самом деле этот вопрос — не просто маркетинговый ход для продажи воды или тема для светской болтовни ради забавы людей, стремящихся похудеть. Совсем наоборот, он имеет первостепенную важность. К сожалению, несмотря на огромные совместные усилия прессы, врачей, продавцов минеральной воды и простых здравомыслящих людей, проблема еще недостаточно серьезно воспринимается любой аудиторией и, в частности, людьми, сидящими на диете.

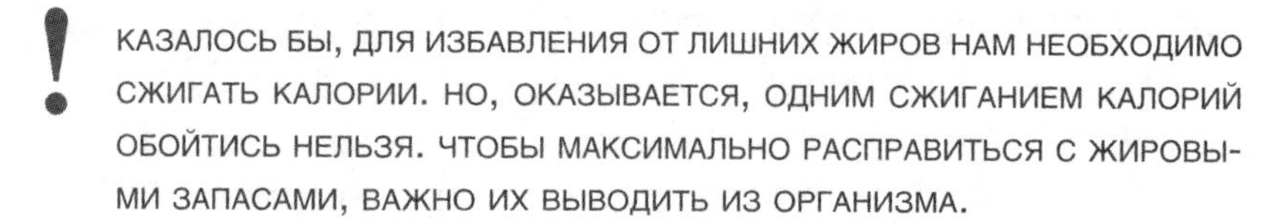

Подумайте: как бы отреагировала домохозяйка на выстиранное, но невыполосканное белье? То же касается и потери веса. Совершенно ясно, что диета, не содержащая достаточного количества воды, не только неэффективна, но и приводит к накоплению вредных веществ в организме.

Вода очищает организм и улучшает эффект диеты

Совершенно очевидно, что чем больше мы пьем, тем больше мочи выделяют почки и у нас больше возможностей для удаления отходов пищеварения. Вода является лучшим природным мочегонным средством. Удивительно, как мало людей пьют достаточное количество воды.

Тысячи повседневных забот притупляют естественное чувство жажды, а затем подавляют его полностью. Проходят дни и месяцы, жажда исчезает и перестает выполнять свою функцию предупреждения обезвоживания тканей.

У женщины мочевой пузырь более чувствителен и меньшего размера, чем у мужчин, поэтому многие из них избегают пить воду в больших количествах, не имея возможности постоянно ходить в туалет во время работы, или находясь в общественном транспорте, или просто потому, что не переносят общественные туалеты. Но то, что допустимо в обычных условиях, не годится во время диеты. Есть аргумент, который всегда убеждает пытающихся потерять вес: **не пить воду и не выводить токсины не только опасно для организма, но может уменьшить или попросту заблокировать потерю веса** и свести на нет все ваши усилия. Почему?

> *«Употребление большого количества белковой пищи требует обязательного приема жидкости не менее 1,5 л в день»*

Работу, проделываемую человеческим организмом при сжигании жиров во время диеты, можно сравнить с работой двигателя внутреннего сгорания — точно так же выделяются тепло и отходы.

Если эти отходы не выводятся регулярно почками, их накопление остановит сжигание калорий, а затем и потерю веса, даже при очень тщательном соблюдении диеты. То же самое произойдет с двигателем автомобиля, если выхлопная труба будет забита, или с камином, который никто не чистит. Оба просто остановят свою работу, задыхаясь от накопленных отходов.

Неразборчивость в питании и неправильные диеты приводят к тому, что почки становятся ленивыми. Поэтому, чтобы восстановить нормальное функционирование своих выделительных органов, **человеку с ожирением, как никому другому, необходимо пить много воды.**

Вначале питье воды может показаться вам неприятной и непосильной задачей, особенно в холодное время года. Но вы быстро приобретете эту полезную привычку и вдобавок получите приятное ощущение очищения организма, сопровождаемое потерей веса. Довольно скоро пить воду станет для вас необходимостью.

Сочетание чистой воды и белков оказывает мощное воздействие на целлюлит

Это свойство моей диеты касается только женщин, потому что целлюлит — это способ отложения жира, наблюдающийся преимущественно у них. Причиной его является гормональный дисбаланс. Целлюлитные зоны чаще всего располагаются в области бедер, ягодиц, коленей.

Большинство диет не в силах бороться с целлюлитом. Однако я на собственном опыте убедился, что чисто белковая диета в сочетании со снижением потребления соли и питьем слабоминерализованной воды приводит к потере веса, а также к умеренному, но реальному сокращению целлюлита в наиболее проблемных участках женского тела: бедрах и ягодицах.

СРЕДИ МНОГИХ ДРУГИХ ДИЕТ, СОБЛЮДАВШИХСЯ ОДНОЙ И ТОЙ ЖЕ ПАЦИЕНТКОЙ В РАЗНЫЕ ПЕРИОДЫ ЕЕ ЖИЗНИ, ИМЕННО ДИЕТА, СОЧЕТАЮЩАЯ ВОДУ И ЧИСТЫЕ БЕЛКИ, ПРИВОДИТ К ЛУЧШИМ РЕЗУЛЬТАТАМ В ПЛАНЕ СОКРАЩЕНИЯ ОКРУЖНОСТИ БЕДЕР И ТАЗА ПРИ ОДИНАКОВЫХ ПОКАЗАТЕЛЯХ ПО ПОТЕРЯННЫМ КИЛОГРАММАМ.

Эти результаты обусловлены гидрофобным (водоотталкивающим) действием белка и интенсивной работой почек, вызванной большим притоком воды. Она проникает во все ткани, в том числе и целлюлитные. Поступая в ткани, чистая вода выходит из них, насыщенная солью и отходами. К этому эффекту выведения соли и очистки необходимо добавить мощный эффект сгорания чистого белка. Сочетание этих трех действий способствует скромному, но редкому и не характерному для других диет воздействию на целлюлит.

> *Диета, не содержащая достаточного количества воды, не только неэффективна, но и приводит к накоплению вредных веществ в организме*

Когда пить воду?

В обществе бытует ложное и устаревшее мнение, что воду лучше пить между приемами пищи, а не во время еды, чтобы избежать удержания воды пищей.

Между тем отказ от воды во время еды не только лишен каких-либо физиологических оснований, но во многих случаях является вредным. Если вы не пьете во время еды, когда жажда возникает так естественно и когда так легко и приятно пить, вы рискуете убить чувство жажды и, отвлекаясь на повседневные дела, напрочь забыть о воде на весь день.

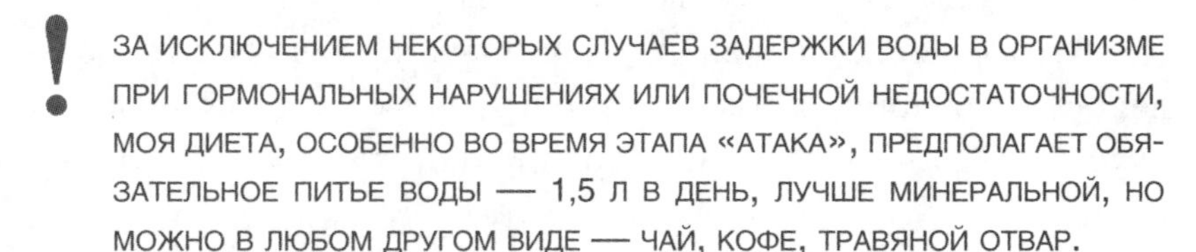

ЗА ИСКЛЮЧЕНИЕМ НЕКОТОРЫХ СЛУЧАЕВ ЗАДЕРЖКИ ВОДЫ В ОРГАНИЗМЕ ПРИ ГОРМОНАЛЬНЫХ НАРУШЕНИЯХ ИЛИ ПОЧЕЧНОЙ НЕДОСТАТОЧНОСТИ, МОЯ ДИЕТА, ОСОБЕННО ВО ВРЕМЯ ЭТАПА «АТАКА», ПРЕДПОЛАГАЕТ ОБЯЗАТЕЛЬНОЕ ПИТЬЕ ВОДЫ — 1,5 Л В ДЕНЬ, ЛУЧШЕ МИНЕРАЛЬНОЙ, НО МОЖНО В ЛЮБОМ ДРУГОМ ВИДЕ — ЧАЙ, КОФЕ, ТРАВЯНОЙ ОТВАР.

Стакан воды утром, большая чашка чая на завтрак, два стакана воды в обед и чашечка кофе после еды, один стакан во второй половине дня и два стакана на ужин — вот вы и выпили без труда

2 л. Многие пациенты, не испытывающие жажду, говорили мне, что из-за необходимости пить воду они усвоили не очень элегантную, но, по их словам, очень эффективную привычку пить воду прямо из бутылки.

Какую воду пить?

Наиболее оптимальные результаты в сочетании с чисто белковой диетой дает минеральная вода с низким содержанием соли, так как она обладает мягким мочегонным и слабительным свойствами. Например, Эвиан, Вольвик, Витель. Избегайте слишком соленых минеральных вод.

ИЗ РОССИЙСКИХ МИНЕРАЛЬНЫХ ВОД С НИЗКИМ СОДЕРЖАНИЕМ СОЛИ МОЖНО ПОРЕКОМЕНДОВАТЬ «ТРОИЦУ», «МОСКОВИЮ», «ВАШЕ ЗДОРОВЬЕ», «КРИСТАЛЬНУЮ», «МАЛЫШКУ», «ЖИВУЮ ВОДУ» И «ДОМБАЙ» И БОЛЕЕ ДОРОГОСТОЯЩИЕ, ТАКИЕ КАК «СВЯТОЙ ИСТОЧНИК», «ГОРЯЧИЙ КЛЮЧ», ТРУСКАВЕЦКУЮ ВОДУ «НАФТУСЯ», «ЛЕГЕНДУ ГОР» «АРХЫЗ» ИЗ КАВКАЗСКОГО ИСТОЧНИКА, ГОРОДЕЦКУЮ ПИТЬЕВУЮ ВОДУ «НИКОЛА КЛЮЧ», СОЧИНСКУЮ ВОДУ «АГУРА» И Т.Д.

Сторонники фильтрованной водопроводной воды могут спокойно пить ее, так как суть питья заключается в потреблении именно того количества воды, которое было бы способно активировать работу почек. Состав воды не столь важен.

Что же касается чая и различных травяных отваров — из вербены, лимона, мяты, — используйте и их, если вы любите их вкус и предпочитаете пить горячие напитки, особенно в зимний период.

Что касается содовых напитков лайт (например, Кока-Кола Лайт), которые сегодня потребляются не реже, чем обычная кола, то они не только допустимы, но я лично **иногда** рекомендую их по нескольким причинам **(но не настаиваю)**:

1. Они позволяют дополнить 2 рекомендованных литра жидкости.
2. Эти напитки практически не содержат сахара и калорий — один стакан Кока-Колы содержит всего лишь одну калорию, а бутылка Кока-Колы «семейного» формата по калорийности равнозначна калорийности одного орешка арахиса.
3. И, наконец, Кока-Кола Лайт обладает приятным вкусом, который может уменьшить тягу к сладкому. Многие пациенты рассказывали мне, что потребление газированных напитков Лайт оказывает успокаивающее действие и помогает им соблюдать диету.

! СУЩЕСТВУЕТ ТОЛЬКО ОДНО ИСКЛЮЧЕНИЕ — ПИТАНИЕ ДЕТЕЙ И ПОДРОСТКОВ. ОПЫТ ПОКАЗЫВАЕТ, ЧТО В ЭТИХ ВОЗРАСТНЫХ КАТЕГОРИЯХ ЗАМЕНИТЕЛИ САХАРА ЛИШЬ В НЕЗНАЧИТЕЛЬНОЙ СТЕПЕНИ ОСЛАБЛЯЮТ НЕОБХОДИМОСТЬ СЪЕСТЬ ЧТО-НИБУДЬ СЛАДКОЕ. КРОМЕ ТОГО, НЕОГРАНИЧЕННОЕ ПОТРЕБЛЕНИЕ СЛАДКИХ НАПИТКОВ ДЕТЬМИ И ПОДРОСТКАМИ МОЖЕТ ПРИВЕСТИ К ТОМУ, ЧТО ИХ БУДУТ ПИТЬ НЕ ДЛЯ ТОГО, ЧТОБЫ УТОЛИТЬ ЖАЖДУ, А ПРОСТО ДЛЯ УДОВОЛЬСТВИЯ, И ВСЕ ЭТО МОЖЕТ ПЕРЕРАСТИ В БОЛЕЕ ТРЕВОЖНЫЕ ФОРМЫ ЗАВИСИМОСТИ.

Вода насыщает

Очень часто люди связывают ощущение пустоты в желудке с голодом, и отчасти это правда. Доказано, что если во время еды регулярно пить, это увеличивает общий объем пищи, поступающей в желудок. Он наполняется больше, и это вызывает ощущение сытости, что является первым признаком насыщения.

Мой опыт показывает, что вода притормаживает наступление чувства голода между приемами пищи, например, в наиболее опасное время суток — между 17:00 и 20:00. Большого стакана любого напитка часто бывает достаточно, чтобы смягчить чувство голода.

Сегодня в связи с развитием общества потребления и увеличением дохода людей в мире возник новый вид голода — самовнушаемый голод западного человека, окруженного изобилием доступных продуктов, которые не могут быть употреблены без риска старения, ожирения или серьезной угрозы для здоровья.

> *Если вы откажетесь пить воду, то это не только будет способствовать накоплению токсинов, а может попросту заблокировать потерю веса*

Удивительно, что в то время как ученые, научные институты и фармацевтические лаборатории упорно трудятся, чтобы найти идеальное средство, сдерживающее аппетит, многие люди даже и не подозревают о существовании такого простого и проверенного средства усмирения голода, как вода.

3. Диета должна быть с низким содержанием соли

Соль является жизненно важным элементом и в той или иной степени присутствует в каждом продукте питания. Поэтому добавление соли является абсолютно ненужным. Часто она используется просто по привычке, только чтобы придать пище больше вкуса и тем самым обострить аппетит.

Диета, бедная солями, не опасна для здоровья

Можно и даже нужно всю жизнь соблюдать диету с низким содержанием соли. Больные с заболеваниями сердца, люди, страдающие от почечной недостаточности, гипертоники постоянно едят блюда без соли, и у них в организме не развивается никакого дефицита. Осторожность нужна только людям с хронически низкими показателями артериального давления (гипотоники). Обессоленные диеты, особенно если речь идет о диетах, предполагающих обильное питье, могут еще больше снизить артериальное давление и вызвать усталость и головокружение с самого утра. Таким людям нельзя сокращать потребление соли, и им не следует пить очень много воды, не больше 1,5 л в день.

Слишком соленая пища = удержание воды в тканях

В жарких странах рабочим регулярно раздают таблетки соли, чтобы избежать обезвоживания организма на солнце. У женщин, особенно когда они находятся под сильным гормональным воздействием в периоды, предшествующие менструации, менопаузе, или даже во время беременности, некоторые части тела могут, как губка, удерживать впечатляющие объемы воды.

Моя диета в сочетании со своей гидрофобной функцией не станет по-настоящему эффективной до тех пор, пока вы не сведете потребление соли к минимуму. Это позволяет воде быстрее пройти через весь организм. Эта мера вполне сопоставима с бессолевой диетой при лечении кортизоном.

Пациенты часто жалуются на прибавку одного или даже двух килограммов за одну ночь при отклонении от предписанной диеты, а иногда даже и при строгом следовании диете. Конечно, при анализе принятой за этот вечер пищи мы не обнаруживаем **количества, необходимого для прибавки 2 кг, а именно 18 000 калорий**. Это и невозможно, так как человек просто не в состоянии поглотить такое количество калорий за один раз. Ока-

> *«Чисто белковая диета, в сочетании с существенным снижением потребления соли и умеренным питьем воды приводит к сокращению целлюлита в наиболее проблемных участках женского тела: бедрах и ягодицах»*

зывается, что пища была слишком соленой и к тому же ее запили алкоголем. Как известно, соль в сочетании с алкоголем задерживает воду в организме.

НИКОГДА НЕ СЛЕДУЕТ ЗАБЫВАТЬ, ЧТО 1 ЛИТР ВОДЫ ВЕСИТ 1 КИЛОГРАММ, А 9 ГРАММОВ СОЛИ УДЕРЖИВАЮТ 1 КИЛОГРАММ ВОДЫ, И ДЛЯ ВОССТАНОВЛЕНИЯ ВЕСА ПОТРЕБУЕТСЯ ДЕНЬ ИЛИ ДВА.

Поэтому, если во время диеты вам необходимо участвовать в профессиональных или семейных обедах или ужинах и некоторое время не следовать инструкциям диетолога, избегайте соленой пищи и старайтесь не пить много. И главное, не становитесь на весы на следующее утро, потому что неоправданное увеличение веса может

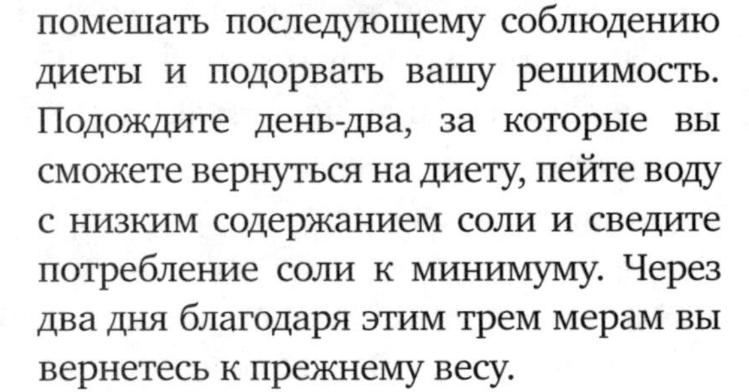

помешать последующему соблюдению диеты и подорвать вашу решимость. Подождите день-два, за которые вы сможете вернуться на диету, пейте воду с низким содержанием соли и сведите потребление соли к минимуму. Через два дня благодаря этим трем мерам вы вернетесь к прежнему весу.

> *«Гипотоникам нельзя отказываться от соли в период похудения, так как дефицит соли может еще сильнее понизить давление»*

Соль усиливает аппетит, а ее отсутствие утоляет чувство голода

Это доказанный факт. Соленые блюда увеличивают количество выделяемой слюны и кислотность желудочного сока, что и усиливает аппетит.

С другой стороны, несоленые блюда не способствуют выделению большого количества пищеварительных соков, следовательно, не вызывают аппетит. К сожалению, отсутствие соли снимает жажду, поэтому всем, кто решил соблюдать мою диету, в первые дни нужно будет напоминать себе о том, что нужно пить много воды вплоть до возвращения естественной жажды.

Резюме

1. **Чисто белковая диета — основная** из четырех составляющих моей методики. Именно в это время используются продукты питания с максимальным содержанием белка.
2. На протяжении всей диеты **худеющий должен воздержаться от подсчета калорий**. Главное — не выходить за рамки белкового питания, количество потребляемых калорий не особо влияет на результаты диеты.

Более того, секрет двух первых этапов моей диеты, гарантирующих реальную потерю веса, заключается в приеме пищи заранее, до наступления настоящего голода, который может стать неконтролируемым и не удовлетворится только одними белками. Да, именно такой голод легко сможет сбить неблагоразумного толстяка с пути истинного и заставит его поглощать пищу низкой питательной ценности, но оказывающую сильное эмоциональное действие, в частности, сладкую и жирную.

> *«Соленые блюда увеличивают количество выделяемой слюны и кислотность желудочного сока, что усиливает аппетит»*

3. **Эффективность этапа «Атака» моей диеты связана с тщательным подбором продуктов питания.** Эффект его мгновенный, если питание ограничивается продуктами, богатыми белками. Но если вы отклоняетесь от рекомендаций, то эффект сильно замедляется или исчезает вовсе, и вы снова обречены на бесконечный подсчет калорий съеденного.
4. **Диету нельзя соблюдать наполовину.** К ней применим закон «все или ничего», что объясняет не только ее метаболическую эффективность, но и ее замечательное психологическое влияние на толстяка, действующего чаще всего в рамках этого закона крайностей.

5. Обладающий несдержанным темпераментом, самоотверженный в своих усилиях и безудержный в своей пищевой расточительности толстый человек находит в моей диете все, что соответствует его образу жизни.

Родство психологии полного человека со структурой питания моей диеты создает все необходимые условия для успешной потери веса. Эта схожесть гарантирует, что диету можно пройти до конца и результаты ее проявляются во всем блеске на заключительном этапе стабилизации, когда нужно соблюдать диету только один день в неделю. Этот день рассматривается как день искупления и послушно принимается теми, кто уже давно борется с избыточным весом.

Холодный суп-пюре ②③④ из огурцов и креветок

Время подготовки: 30 минут.
Время приготовления: 0 минут.

4 — 45 минут

Ингредиенты:

- 8 больших вареных очищенных креветок;
- 400–500 мл минеральной воды;
- 2 небольших огурца;
- четверть красного перца;
- 1 луковица;
- половина луковицы красного лука;
- сок 2 лимонов;
- 1 зубчик чеснока;
- 2 столовые ложки аниса;
- 4 веточки кинзы;
- несколько капель табаско;
- соль и перец.

Вымыть огурцы, очистить и удалить семена. Порезать кубиками. Затем блендером измельчить огурцы с мелко нарезанным белым луком, зубчиком чеснока, соком 1 лимона, анисом, солью и перцем. Разбавить пюре 400–500 мл минеральной воды. Добавить половину нарезанной кинзы. Поставить на 45 минут в холодильник.

За полчаса до подачи выложить креветки на блюдо, полить лимонным соком и несколькими каплями табаско, накрыть и поставить в холодильник на 30 минут. Очистить и мелко нарезать красный лук, промыть красный перец, удалить семена и нарезать тонкими полосками. Разлить получившийся суп-пюре по тарелкам, посыпать кусочками перца и лука, добавить креветки и остаток нарезанной кинзы.

B2 # Творожные корзиночки с говядиной   

Рецепт Натальи Шевцовой (группа «Диета Дюкан» ВКонтакте)

Время подготовки: 15 минут.
Время приготовления: 20 минут.
Ингредиенты:

Содержит 1 допускаемый продукт

- 600 г говяжьего фарша;
- 200 г мягкого обезжиренного творога (0 %);
- 2 столовые ложки кукурузного крахмала;
- 1 желток;
- 100 г обезжиренного сыра (см. стр. 80);
- соль, перец.

Разогреть духовку до 180 °С (термостат 6).

Смешать творог, соль, желток, кукурузный крахмал и замесить мягкое тесто. Распределить тесто по стенкам силиконовых формочек для кексов, формируя высокие края. Выложить в каждую формочку говяжий фарш (можно придумать любую начинку), сверху посыпать сыром.

Запекать в духовке 15–20 минут. Подавать горячими.

Фаршированные кальмары ① ② ③ ④

Рецепт Натальи Шевцовой (группа «Диета Дюкан» ВКонтакте)

Время подготовки: 10 минут.
Время приготовления: 35 минут.

Ингредиенты:

- 3 кальмара;
- 200 г постной ветчины (не более 4 % жирности);
- 2 яйца;
- пучок любой зелени;
- соль, перец.

Разогреть духовку до 180 °C (термостат 6).

Отварить 2 кальмара в течение 4 минут и порезать крупными кольцами. Приготовить фарш: смешать мелко порезанную ветчину, 1 оставшийся кальмар, зелень и сырые яйца. Посолить, поперчить. Фаршировать отварных кальмаров этой смесью.

Завернуть кальмары в два слоя фольги и поставить в духовку на 20–30 минут.

В4 Закуска-пирожное из творога с тунцом  

Рецепт Натальи Шевцовой (группа «Диета Дюкан» ВКонтакте)

Время подготовки: 20 минут.
Время приготовления: 0 минут.
Ингредиенты:

3 часа

- 200 г мягкого обезжиренного творога (0 %);
- 150 г тунца в собственном соку;
- 1 маленькая луковица;
- 1 маленькая морковка;
- 1 чайная ложка мягкой горчицы;
- 9 г желатина.

Тщательно слить сок с тунца. Выложить в миску тунца, творог, измельченную луковицу, тертую морковь и горчицу. Тщательно перемешать блендером. Крем готов. Поставить его в холодильник на полчаса.

Подготовить желатин согласно инструкции на пакетике.

Вылить готовый желатин в крем, перемешать и разложить по формочкам. Поставить в холодильник охлаждаться на пару часов.

Пицца с тунцом 

Время подготовки: 20 минут.
Время приготовления: 25 минут.
Ингредиенты:

- 180 г тунца в собственном соку;
- 500 г томатной пасты без сахара;
- 6 столовых ложек плавленого сыра 0 % жирности;
- 2 столовые ложки каперсов;
- 1 большая луковица;
- 1 чайная ложка смеси тимьяна, орегано и базилика;
- четверть чайной ложки перца;
- соль.

Приготовить овсяную лепешку (см. стр. 107). Мелко порезать лук и обжарить на слегка смазанной маслом сковороде с антипригарным покрытием. Добавить томатную пасту, зелень, перец и соль. Тушить на медленном огне 10 минут. Слить сок с тунца, размять его вилкой и отложить в сторону. Смазать лепешку массой из томатной пасты и сыра, выложить тунец и каперсы. Выпекать 25 минут в духовке, предварительно нагретой до 175 °C (термостат 5–6).

Фото: BERNARD RADVANER (Бернар Радванер)

В6 Морковно-тыквенный пирог ②  ④

Рецепт Натальи Шевцовой (группа «Диета Дюкан» ВКонтакте)

Время подготовки: 10 минут.
Время приготовления: 60 минут.
Ингредиенты:

- 100 г мягкого обезжиренного творога (0 %);
- 2 яйца;
- 125 г моркови;
- 125 г тыквы;
- 1 стакан кефирной «Активии» (0 %);
- специи по вкусу;
- соль, перец.

Натереть на крупной терке морковь. Порезать тыкву кубиками, отварить в течение 5 минут в воде. Слить воду. Смешать морковь и тыкву. Приправить. Добавить к ним остальные ингредиенты и выложить в форму для выпечки. Выпекать при 170 °С (термостат 5–6) в течение часа.

Пирог можно сделать сладким, добавив сахарозаменитель по вкусу и не используя специи.

Капустный шницель с индейкой ② ③ ④

Рецепт Натальи Шевцовой (группа «Диета Дюкан» ВКонтакте)

Время подготовки: 10 минут.
Время приготовления: 10 минут.
Ингредиенты:

- 3–4 капустных листа;
- 3 куска копченой индейки;
- 2 столовые ложки овсяных отрубей;
- 1 яйцо;
- соль, перец.

Отварить 5 минут в кипящей подсоленной воде капустные листья. Достать их, срезать с листов утолщение, слегка отбить. Завернуть в каждый лист по куску копченой индейки, сложить до удобной формы. Разбить яйцо в миску, обмакнуть в него шницели, а затем обвалять в овсяных отрубях. Выложить на сковороду с антипригарным покрытием, слегка обжарить.

Запеканка из индейки с овощами   

Рецепт Натальи Шевцовой (группа «Диета Дюкан» ВКонтакте)

Время подготовки: 25 минут.
Время приготовления: 55 минут.
Ингредиенты:

Содержит 1 допускаемый продукт

- 500 г индейки;
- 200 г сыра жирностью 7 %;
- 3 помидора;
- 4 небольших баклажана;
- 1 обезжиренный йогурт (0 %);
- 1 луковица;
- 2 яйца;
- 1 красный болгарский перец;
- специи по вкусу;
- соль, перец.

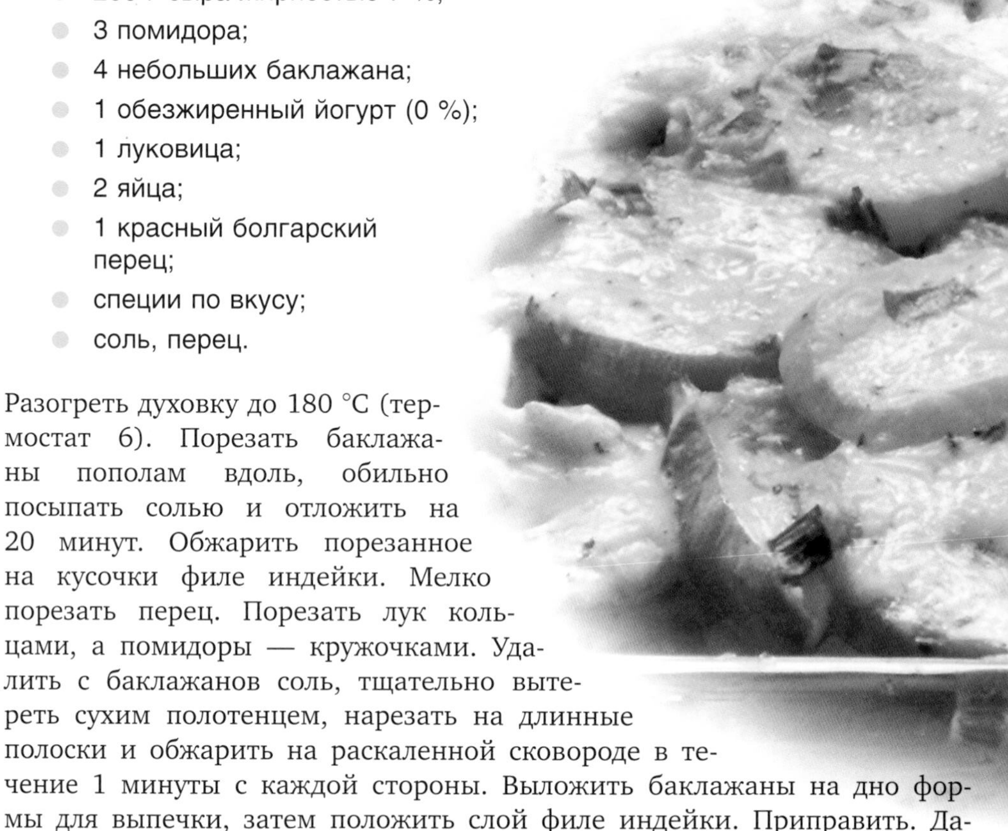

Разогреть духовку до 180 °С (термостат 6). Порезать баклажаны пополам вдоль, обильно посыпать солью и отложить на 20 минут. Обжарить порезанное на кусочки филе индейки. Мелко порезать перец. Порезать лук кольцами, а помидоры — кружочками. Удалить с баклажанов соль, тщательно вытереть сухим полотенцем, нарезать на длинные полоски и обжарить на раскаленной сковороде в течение 1 минуты с каждой стороны. Выложить баклажаны на дно формы для выпечки, затем положить слой филе индейки. Приправить. Далее выложить слой лука и сладкого перца. Сверху накрыть помидорами. Потереть сыр на мелкой терке, смешать с сырыми яйцами и йогуртом. Залить овощи с индейкой. Поставить в духовку на 40–50 минут.

Кекс из индейки ② ③ ④

Время подготовки: 5 минут.
Время приготовления: 30 минут.
Ингредиенты:

Содержит 1 допускаемый продукт

- 4 филе индейки (или курицы);
- 1 большая луковица;
- 6 яиц;
- 2 столовые ложки кукурузного крахмала;
- 2 столовые ложки специй (тмин, базилик, прованские травы, соль, перец, паприка, имбирь).

Разогреть духовку до 180 °C (термостат 6).

С помощью блендера или комбайна измельчить курицу и лук, добавить зелень, специи, яйца и кукурузный крахмал. Положить смесь в форму для кексов или жаропрочное блюдо. Запекать в духовке 20–30 минут.

Фото: BERNARD RADVANER (Бернар Радванер)

В10 Курица с тимьяном ② ③ ④

Время подготовки: 30 минут.
Время приготовления: 30–35 минут.
Ингредиенты:

- 1 курица;
- 300 г обезжиренного йогурта (0 %);
- 2 луковицы-шалот;
- половина лимона;
- 1 пучок свежего тимьяна;
- 1 пучок свежей петрушки;
- несколько листьев мяты;
- 1 зубчик чеснока;
- соль и перец.

Порезать курицу на кусочки, посолить, поперчить. В нижний сосуд пароварки налить большое количество воды, посолить и довести до кипения. Половину веточек тимьяна поместить в верхний сосуд пароварки. На тимьян выложить курицу, накрыть оставшимся тимьяном, а также очищенным и нарезанным луком-шалотом. Прикрыть сосуд и варить 30–35 минут.

Пока готовится курица, положить в миску йогурт, добавить сок лимона, листья мяты, петрушку и измельченный зубчик чеснока. Посолить и поперчить. Тщательно перемешать и поставить в прохладное место. Подавать в качестве соуса для курицы.

Фото: BERNARD RADVANER (Бернар Радванер)

Курица в папильотках с кабачками ② ③ ④

Время подготовки: 10 минут.

Время приготовления: 15–20 минут.

Ингредиенты:

- 8 куриных филе;
- 4 кабачка;
- 2 помидора;
- 1 зубчик чеснока;
- 1 лимон.

Разогреть духовку до 210 °C (термостат 7).

Порезать куриное филе полосками. Промыть кабачки, очистить и нарезать соломкой. Очистить и измельчить зубчик чеснока. Вымыть и мелко порезать лимон. Помидоры обдать кипятком и снять кожуру, порезать крупными дольками. Приготовленные кабачки, помидоры, лимон и чеснок обжарить в сковороде на сильном огне. Перемешать и снять с огня. Подготовить четыре прямоугольных листа бумаги для выпечки, положить на них курицу с овощами и завернуть в бумагу. Запекать 15–20 минут.

Фото: BERNARD RADVANER (Бернар Радванер)

Курица по-баскски ② ③ ④

Время подготовки: 15 минут.
Время приготовления: 60 минут.

Ингредиенты:

- 1 курица;
- 1 кг помидоров;
- 1 морковь;
- 2 болгарских перца;
- 2 зубчика чеснока;
- 1 пучок зелени;
- пара капель оливкового масла;
- соль и перец.

Разделать курицу, посыпать солью и перцем. Подрумянить в слегка смазанном маслом сотейнике с антипригарным покрытием на среднем огне. Обдать кипятком помидоры, очистить от кожуры, порезать на четверти и удалить семена. Добавить к курице помидоры, очищенную и мелко порезанную морковку, нарезанные кубиками перцы, измельченный чеснок, посолить, поперчить. Закрыть крышкой и тушить 1 час на слабом огне.

Фото: BERNARD RADVANER (Бернар Радванер)

Куриная ветчина 

Рецепт Натальи Шевцовой (группа «Диета Дюкан» ВКонтакте)

Время подготовки: 20 минут.
Время приготовления: 60 минут.

28 часов

Ингредиенты:

- 2 куриные грудки;
- 2 куриных бедра;
- 3 зубчика чеснока;
- специи по вкусу;
- соль, перец.

Блюдо надо готовить заранее. Очистить курицу от кожи, порезать филе и бедра на небольшие куски. Приправить, положить в герметичный контейнер и убрать в холодильник на сутки.

На следующий день выложить мясо на фольгу, сформовать руками рулет, плотно завернуть в фольгу и положить на противень. Разогреть духовку до 180 °C (термостат 6) и выпекать в горячей духовке в течение часа.

Остудить при комнатной температуре, не разворачивая фольгу. Поставить на 3–4 часа в холодильник.

B14 Куриные кармашки «Радуга» с овощами ② ③ ④

Рецепт Натальи Шевцовой (группа «Диета Дюкан» ВКонтакте)

Время подготовки: 10 минут.

Время приготовления: 25 минут.

6

Ингредиенты:

Содержит 1 допускаемый продукт

- 2 куриные грудки;
- треть небольшого кабачка;
- 2 разноцветных болгарских перца;
- 1 помидор;
- 100 г сыра жирностью 7 %;
- соль, перец, красный молотый перец.

Разогреть духовку до 180 °C (термостат 6).

Надрезать каждую куриную грудку: один раз — поперек, один раз — пополам, чтобы потом сформировать кармашки. Приправить. Очистить кабачок от кожуры. Нарезать овощи и сыр длинными тонкими полосками. В середину каждого кармашка положить несколько полосок овощей и сыра, чтобы было красивое сочетание. Закрепить шпажками или зубочистками. Запекать кармашки 20 минут. В конце приготовления посыпать тертым сыром, увеличить температуру до 200 °C (термостат 6–7) и подрумянить 5 минут. Посыпать готовое блюдо красным перцем и подавать на стол.

Говяжьи фрикадельки с травами ①   

Время подготовки: 30 минут.

Время приготовления: 5 минут.

Ингредиенты:

- 750 г говяжьего фарша;
- 1 яйцо;
- 1 луковица среднего размера;
- 2 зубчика чеснока;
- 1 столовая ложка китайского сливового соуса[1];
- 1 столовая ложка вустерского (ворчестерского) соуса;
- 2 столовые ложки розмарина;
- 1–2 столовые ложки мяты (или базилика);
- соль и перец.

Смешать фарш со взбитым яйцом, измельченными луком, зеленью и чесноком. Посолить и поперчить. Сформовать фрикадельки. Жарить по 5 минут с каждой стороны в большой сковороде, небольшими партиями и на среднем огне. Излишки жира убрать бумажным полотенцем. Подавать с томатным соусом.

Фото: BERNARD RADVANER (Бернар Радванер)

[1]Китайский сливовый соус можно приготовить самостоятельно. Для этого вам потребуется около 1,5 кг сливы, 2 луковицы, свежий имбирь (2 см), зубчик чеснока, полстакана яблочного уксуса, чайная ложка кориандра, пол чайной ложки корицы, четверть чайной ложки кайенского перца и гвоздики, соль, несколько таблеток сахарозаменителя. Измельченные сливы, лук, чеснок и имбирь залить 1 л воды и тушить 30 минут в сотейнике. Затем массу измельчить блендером, добавить оставшиеся ингредиенты и тушить еще 40 минут. – *Прим. ред.*

B16 ## Мясные маффины ① ② ③ ④ «Овсяные»

Рецепт Натальи Шевцовой (группа «Диета Дюкан» ВКонтакте)

Время подготовки: 25 минут.

Время приготовления: 45 минут.

6

Ингредиенты:

- 300 г куриного фарша;
- 300 г говяжьего фарша;
- 4 столовые ложки овсяных отрубей;
- 100 мл обезжиренного молока;
- 2 яйца;
- специи по вкусу;
- соль, перец.

Залить отруби молоком и оставить набухать в течение 20 минут. Смешать все ингредиенты, приправить. Выложить ложкой в 6 силиконовых формочек. Выпекать 40–45 минут в разогретой до 180 °C духовке (термостат 6).

Салат с маринованной морковью ② ③ ④ и двумя видами мяса

Рецепт Натальи Шевцовой (группа «Диета Дюкан» ВКонтакте)

Время подготовки: 15 минут.

Время приготовления: 0 минут.

Ингредиенты:

- 100 г вареной индейки;
- 100 г постной ветчины (не более 4 % жирности);
- 1 большая морковь;
- несколько листьев рукколы;
- несколько листьев базилика;
- щепотка кунжута;
- 1 столовая ложка бальзамического уксуса;
- соль, перец.

Нашинковать морковь, приправить, полить бальзамическим уксусом. Порезать кубиками ветчину и вареную индейку. Рукколу и листья базилика порвать руками. Перемешать мясо, овощи и зелень, сверху посыпать кунжутом.

B18 Салат с морским коктейлем 

Рецепт Натальи Шевцовой (группа «Диета Дюкан» ВКонтакте)

Время подготовки: 10 минут.

Время приготовления: 0 минут.

Ингредиенты:

- 1 банка консервированного морского коктейля (кальмары, креветки, мидии и осьминоги);
- 2 помидора;
- 2 яйца;
- 1 огурец;
- несколько салатных листьев;
- щепотка кунжута;
- 2 столовые ложки соевого соуса без сахара.

Порезать дольками огурец, помидоры и яйца. Положить в тарелку салатные листья, порезанные овощи и добавить морской коктейль. Перемешать, заправить соевым соусом и посыпать кунжутом.

Салат «Морское дно» ② ③ ④

Рецепт Натальи Шевцовой (группа «Диета Дюкан» ВКонтакте)

Время подготовки: 10 минут.
Время приготовления: 0 минут.
Ингредиенты:

- 1 банка кальмаров в собственном соку;
- 150 г помидоров черри;
- 100 г обезжиренного йогурта (0 %);
- несколько перышек зеленого лука;
- сухой чеснок по вкусу;
- небольшой пучок любой зелени.

Порезать кальмары, разрезать помидоры на половинки. Выложить в салатницу, добавить мелко порезанный зеленый лук.

Приготовить соус: смешать обезжиренный йогурт с сухим чесноком и зеленью, приправить. Заправить соусом салат.

В20 Салат «Мимоза» ② ③ ④

Рецепт Натальи Шевцовой (группа «Диета Дюкан» ВКонтакте)

Время подготовки: 15 минут.

Время приготовления: 10 минут.

2 часа

Ингредиенты:

- 125 г консервированной горбуши;
- 150 г обезжиренного йогурта (0 %);
- 100 г обезжиренного плавленого сыра (0 %);
- 1 маленькая луковица;
- 2 яйца;
- специи (чеснок, травы).

Сварить яйца вкрутую. Приготовить соус: смешать йогурт, чеснок и травы.

Натереть на мелкой терке отдельно белок и желток. Размять горбушу вилкой. Мелко порезать лук и ошпарить кипятком.

Выложить салат в форму слоями: рыба, соус, лук, соус, белок, сыр, соус и желток. Поставить в холодильник на пару часов.

Теплый салат с кабачком и креветками ②   В21

Рецепт Натальи Шевцовой (группа «Диета Дюкан» ВКонтакте)

Время подготовки: 10 минут.

Время приготовления: 5 минут.

Ингредиенты:

- 500 г вареных очищенных креветок;
- 1 средний кабачок;
- 1 лимон;
- 2 чайные ложки кунжута;
- 2 зубчика чеснока;
- сушеный розмарин по вкусу;
- несколько веточек любой зелени.

Вымыть кабачок, очистить от кожуры, натереть на крупной терке. Выжать на кабачок сок лимона, перемешать и оставить в стороне на час.

Обжарить креветки в течение 2–3 минут с толченым чесноком на сковороде с антипригарным покрытием. Смешать креветки с кабачком, добавить мелко нарезанную зелень, розмарин и посыпать кунжутом. Подавать холодным или теплым.

Омлет с лососем ① ② ③ ④

Время подготовки: 10 минут.
Время приготовления: 5 минут.

Ингредиенты:

- 2 кусочка копченого лосося;
- 12 чайных ложек мягкого обезжиренного творога (0 %);
- 6 яиц;
- несколько веточек эстрагона;
- соль и перец.

Подготовить 6 порционных формочек, в каждую положить 2 чайные ложки творога, щепотку мелко нарезанного эстрагона, одну треть куска лосося и 1 яйцо. Посолить и поперчить. Поставить формочки в кастрюлю с кипящей водой и варить на водяной бане 3–5 минут на среднем огне.

Лосось можно заменить постной ветчиной не более 4 % жирности, вяленой говядиной или другим постным мясом по желанию.

Фото: BERNARD RADVANER (Бернар Радванер)

Морские гребешки   

Время подготовки: 15 минут.
Время приготовления: 15 минут.
Ингредиенты:

- 6–8 морских гребешков;
- 4 чайные ложки мягкого обезжиренного творога (0 %);
- 2 большие луковицы-шалот;
- пара капель оливкового масла;
- соль и перец.

Разогреть на слегка смазанной маслом сковороде мелко порезанный лук-шалот с творогом. Быстро обжарить морские гребешки на другой сковороде, сначала на сильном огне, постепенно переходя на слабый огонь. Посолить и поперчить гребешки, добавить лук с творогом. Подавать горячими.

Фото: BERNARD RADVANER (Бернар Радванер)

Дорада в соленой корке ① ② ③ ④

Время подготовки: 10 минут.

Время приготовления: 90 минут.

4

Ингредиенты:

- 1 морской лещ (дорада) весом около 1–1,5 кг;
- 5 кг крупной морской соли.

Выпотрошить леща, не счищая чешую. Разогреть духовку до 250 °С (термостат 8). Выбрать жаропрочное блюдо немного больше, чем сама рыба. Покрыть фольгой дно и стенки. На дно насыпать 3 см крупной соли, положить на нее рыбу и засыпать оставшейся солью. Рыба должна быть полностью покрыта солью. Запекать 1 час, затем уменьшить температуру до 180 °С и запекать еще 30 минут. Положить рыбу на разделочную доску и разбить соленую корку молоточком.

Фото: BERNARD RADVANER (Бернар Радванер)

Лепешка с корицей   

Время подготовки: 15 минут.

Время приготовления: 40 минут.

Ингредиенты:

- тесто, приготовленное по рецепту овсяной лепешки (см. стр. 106, ингредиентов на 4 лепешки);
- 3 яйца;
- 250 мл мягкого обезжиренного творога (0 %);
- 1 стручок ванили;
- сахарозаменитель по вкусу;
- 1 столовая ложка молотой корицы.

Разбить и взбить венчиком яйца в миске. Добавить сахарозаменитель и довести до однородной консистенции. Смешать с творогом и корицей. Разрезать вдоль стручок ванили и извлечь семена, добавить их в массу. Выложить бумагой форму для выпечки. Вылить на дно формы овсяное тесто и выпекать 10 минут в предварительно разогретой до 220 °С духовке (термостат 7–8). Затем положить на тесто яично-творожную массу и выпекать еще 30 минут.

Фото: BERNARD RADVANER (Бернар Радванер)

Ванильный крем по-баварски    

Время подготовки: 15 минут.

Время приготовления: 0 минут.

10 часов

Ингредиенты:

- 440 г мягкого обезжиренного творога (0 %), с ванильным вкусом;
- 2 яичных белка;
- 3 листа желатина;
- сахарозаменитель;
- 3 столовые ложки воды.

Замочить желатин в холодной воде на 5 минут. Взбить белки до образования пены. На медленном огне подогреть 3 столовые ложки воды. Растворить в этой воде желатин. Добавить в творог взбитые белки и жидкий желатин. Перемешивать 2–3 минуты. Добавить сахарозаменитель. Поставить на всю ночь в холодильник.

Фото: BERNARD RADVANER (Бернар Радванер)

Бисквитный рулет ② ③ ④

Рецепт Виктории Соколовой (группа «Диета Дюкан» ВКонтакте)

Время подготовки: 12 минут.

Время приготовления: 8 минут.

1 час

Содержит 2 допускаемых продукта

Ингредиенты для бисквита:

- 2 белка;
- 3 желтка;
- 2 столовые ложки кукурузного крахмала;
- 1 чайная ложка разрыхлителя;
- сахарозаменитель по вкусу;
- половина пакетика ванилина.

Ингредиенты для шоколадного крема:

- 3 столовые ложки мягкого обезжиренного творога (0 %);
- 1 столовая ложка обезжиренного какао (например, Van Houten 11 %);
- сахарозаменитель по вкусу.

Разогреть духовку до 180 °С (термостат 6). Смешать все ингредиенты для крема, отставить в сторону. Для бисквита взбить белки до образования густой пены. В отдельной миске смешать 3 желтка, разрыхлитель, крахмал, сахарозаменитель и ванилин. Аккуратно смешать с белками до однородной массы. Застелить пергаментной бумагой противень 30х40 см. Вылить на него тесто тонким слоем и выпекать 8 минут. Вынуть бисквит из формы и равномерно намазать шоколадным кремом. Аккуратно свернуть бисквит в рулет и поставить на 1 час в холодильник.

В28 Тыквенный десерт «Нежность» ② ③ ④

Рецепт Натальи Шевцовой (группа «Диета Дюкан» ВКонтакте)

Время подготовки: 20 минут.
Время приготовления: 25 минут.
2 часа
Ингредиенты:

Содержит 2 допускаемых продукта

- половина средней тыквы (2 стакана);
- 2 стакана обезжиренного молока;
- 3 столовые ложки воды;
- 7 таблеток сахарозаменителя;
- 3 столовые ложки кукурузного крахмала;
- половина чайной ложки ванильно-сливочного ароматизатора;
- полпакетика ванилина;
- 1 чайная ложка обезжиренного какао (например, Van Houten 11 %).

Очистить тыкву от кожуры, нарезать кубиками (объем на 2 стакана) и выложить в кастрюлю с двумя ложками воды. Тушить 15 минут до готовности. Измельчить блендером до однородной консистенции, добавив молоко, ванилин и пару капель ароматизатора.

Растолочь сахарозаменитель, растворить небольшим количеством воды и добавить в смесь. Перемешать. Снова вылить все в кастрюлю и довести смесь до кипения.

В отдельной чашке тщательно смешать кукурузный крахмал с одной ложкой холодной воды, и вылить тонкой струйкой в смесь, постоянно помешивая. Варить до загустения. Разлить по формочкам, оставив 3 ложки смеси для украшения блюда.

Украшение: смешать какао с тремя ложками тыквенной смеси. Сделать на поверхности каждого десерта узоры зубочисткой. Поставить в холодильник на пару часов.

Кекс с корицей ② ③ ④

Рецепт Натальи Шевцовой (группа «Диета Дюкан» ВКонтакте)

Время подготовки: 15 минут.
Время приготовления: 20 минут.
Ингредиенты:

Содержит 1 допускаемый продукт

- 5 столовых ложек сухого обезжиренного молока;
- 2 столовые ложки овсяных отрубей;
- 1 столовая ложка мягкого обезжиренного творога (0 %);
- 2 яйца;
- пол чайной ложки разрыхлителя;
- 6 таблеток сахарозаменителя;
- 1 чайная ложка молотой корицы.

Разогреть духовку до 180 °С (термостат 6–7). Взбить миксером или блендером с насадкой «венчик» 2 яйца в глубокой чашке в течение 1–2 минут до образования крупных пузырей. Добавить в яичную смесь творог и взбивать еще полминуты. Растереть сахарозаменитель в столовой ложке, добавить в ложку теплую воду, подождать, чтобы растворился. Вылить содержимое ложки в яичную смесь. Высыпать в смесь овсяные отруби, сухое молоко, разрыхлитель и корицу. Все тщательно перемешать до однородной массы. Выложить в силиконовые формы на три четверти объема. Выпекать 20 минут в духовке.

B30 Пирожное «Творожная картошка» ② ③ ④

Рецепт Натальи Шевцовой (группа «Диета Дюкан» ВКонтакте)

Время подготовки: 25 минут.

Время приготовления: 10 минут.

3 часа

Ингредиенты:

Содержит 2 допускаемых продукта

- 200 г мягкого обезжиренного творога (0 %);
- 3 готовых кекса с корицей (см. рецепт на предыдущей странице);
- 1 столовая ложка обезжиренного какао (например, Van Houten 11 %);
- 1 чайная ложка корицы;
- 8 таблеток сахарозаменителя;
- щепотка мускатного ореха;
- 5 г желатина.

Залить желатин холодной водой (30–40 мл) и оставить набухать 15 минут.

Измельчить кексы с корицей в крошку, смешать с творогом. Растолочь сахарозаменитель в столовой ложке, залить теплой водой и смешать с творожно-бисквитной массой. Добавить какао, корицу и мускатный орех. Перемешать до однородной массы.

Нагреть желатин с водой до полного растворения (не кипятить). Процедить через сито. Вылить желатин в творожную смесь. Сформовать руками или ложкой небольшие пирожные овальной формы. Каждое пирожное поставить в холодильник на 3 часа. Перед подачей посыпать бисквитной крошкой и корицей.

Французское печенье Мадлен ② ③ ④

Рецепт Натальи Шевцовой (группа «Диета Дюкан» ВКонтакте)

Время подготовки: 15 минут.

Время приготовления: 20 минут.

7

Ингредиенты:

Содержит 1 допускаемый продукт

- 3 столовые ложки мягкого обезжиренного творога (0 %);
- 3 столовые ложки овсяных отрубей;
- 1 столовая ложка пшеничных отрубей;
- 2 столовые ложки кукурузного крахмала;
- 2 яйца;
- половина пакетика разрыхлителя;
- сахарозаменитель по вкусу;
- ароматизатор «миндаль» по вкусу.

Разогреть духовку до 180 °C (термостат 6).

Смешать в одной миске творог и яйца, в другой — отруби, кукурузный крахмал и разрыхлитель. Соединить две смеси и тщательно перемешать. Затем добавить сахарозаменитель и ароматизатор. Взбить все венчиком. Заполнить тестом формы для выпечки «Мадлен» (выкладывать в формы не больше одной чайной ложки смеси). Выпекать 15–20 минут в духовке.

B32 Мармелад из кока-колы лайт ② ③ ④

Рецепт Асии Дюсуповой (группа «Диета Дюкан» ВКонтакте)

Время подготовки: 5 минут.

Время приготовления: 15 минут.

2 часа

Ингредиенты:

- 500 мл кока-колы лайт;
- 50 г желатина;
- 2–3 таблетки подсластителя;
- 1 чайная ложка лимонной кислоты.

Залить желатин 200 мл колы и оставить на 1 час (поместить в глубокую миску, так как кола может пениться). В оставшийся объем колы добавить лимонную кислоту, подсластитель, нагреть на плите, не доводя до кипения. Снять с огня. В горячий сироп выложить разбухший желатин и хорошо перемешать. Подогреть сироп с желатином на медленном огне до полного растворения, не позволяя массе закипать. Вылить в форму, поставить на 2 часа в холодильник.

БЛЮДА НА ОСНОВЕ ЧИСТЫХ БЕЛКОВ

Блюда по рецептам из этого раздела можно употреблять в любой день любого этапа, они являются источником чистого белка

СУПЫ

Куриный бульон по-тайски ① ② ③ ④

Время подготовки: 15 минут.

Время приготовления: 180 минут.

Ингредиенты:

- 2 куриных филе;
- 2 л холодной воды;
- 1 луковица;
- 1 пучок кинзы (стебли);
- 2 стебля цитронеллы (лимонная трава);
- 2 листика кафрского лайма;
- соль, белый перец.

Положить курицу в глубокую кастрюлю и залить холодной водой. Довести до кипения, собрать пену с поверхности. Уменьшить огонь. Луковицу разрезать на четверти, стебли кинзы порезать крупно, измельчить листья лайма. К курице добавить ингредиенты и варить 2–3 часа на медленном огне. Лимонная трава и листья кафрского лайма придадут блюду лимонный освежающий вкус.

Куриный суп с яйцом пашот ① ② ③ ④

Рецепт Натальи Шевцовой (группа «Диета Дюкан» ВКонтакте)

Время подготовки: 5 минут.

Время приготовления: 40 минут.

Ингредиенты:

- 2 куриных филе;
- 3 яйца;
- 1 пучок зеленого лука;
- 1 л воды.

Сварить куриное филе в кастрюле (25–30 минут). Добавить порезанный зеленый лук. Каждое из трех яиц аккуратно вылить в отдельную мисочку. Убавить огонь, аккуратно вылить одно за другим яйца в суп, не мешая, чтобы каждое яйцо получилось круглым. Варить суп еще минут 5, выключить огонь и дать супу настояться минут 10.

Куриный суп с яйцом и тофу ① ② ③ ④

Рецепт Дани Савельевой (группа «Диета Дюкан» ВКонтакте)

Время подготовки: 5 минут.

Время приготовления: 30 минут.

Ингредиенты:

- 1 куриная грудка;
- 1 л воды;
- 2 яйца;
- 1–2 зубчика чеснока;

- несколько кубиков тофу;
- лимонный сок;
- соль, перец.

Налить в кастрюлю 1 л воды и поставить варить куриное филе на 20 минут. Достать курицу, порезать на кусочки и отправить обратно в бульон. В кипящий бульон добавить, постоянно мешая, одно яйцо. Второе яйцо сварить вкрутую, нарезать кусочками вареное яйцо и тофу, добавить в бульон. Немного посолить. Измельчить чеснок и положить в суп. В суп можно добавить несколько капель лимонного сока.

Суп с овсяными отрубями ① ② ③ ④

Время подготовки: 10 минут.

Время приготовления: 50 минут.

Ингредиенты:

- 2 куриных филе;
- 1 л воды;
- 1 луковица;
- 1 сырое яйцо;
- 1,5 ложки овсяных отрубей;
- 1 небольшой пучок укропа;
- 1 небольшой пучок зеленого лука;
- соль, перец.

Налить в кастрюлю воды и поставить варить куриное филе на 20 минут, периодически снимая пену. Затем достать курицу, порезать ее кубиками и положить обратно в бульон. Отдельно порезать луковицу и зеленый лук, добавить их в бульон. Приправить необходимыми специями. Аккуратно вылить в бульон сырое яйцо, варить еще несколько минут. В конце варки добавить овсяные отруби. При подаче посыпать укропом.

Суп с яичным желтком ① ② ③ ④

Время подготовки: 10 минут.

Время приготовления: 10 минут.

1 час

Ингредиенты:

- 1,5 л постного говяжьего бульона;
- 8 яиц;
- соль и перец.

Сварить 1,5 л говяжьего бульона. В отдельной миске разбить яйца, отделить белки от желтков. Вылить желтки в чистую кастрюлю и взбить вместе с 400 мл приготовленного говяжьего бульона до получения однородной консистенции. Затем протереть через сито, полученную массу вновь вылить в кастрюлю и варить на водяной бане. Когда крем-суп загустеет, снять с огня и охладить.

Охлажденную массу из загустевшего супа порезать на куски и разложить в глубокие тарелки или в миски. Разогреть оставшийся бульон на слабом огне, приправить по вкусу. Вылить горячий бульон в тарелки с нарезанной ранее массой и подавать к столу.

Рыбный супчик из консервов ① ② ③ ④

Время подготовки: 5 минут.

Время приготовления: 15 минут.

Ингредиенты:

- 2 баночки рыбных консервов в собственном соку (по 150 г);

- 1 л воды;
- 1 луковица;
- 3 лавровых листа;
- 1 пучок укропа;
- соль и перец.

Налить воды в кастрюлю, вскипятить. Посолить. Мелко покрошить лук. Размять рыбу вилкой, не сливая сок. Добавить в кипящую воду лук, лавровый лист. Поперчить. Добавить в бульон рыбу и варить 5 минут. В конце покрошить укроп.

Окрошка на кефире 

Рецепт Ольги Александровой (группа «Диета Дюкан» ВКонтакте)

Время подготовки: 5 минут.

Время приготовления: 10 минут.

Ингредиенты:

- 2 стакана кефира 0 % жирности;
- половина стакана минеральной воды;
- 2 кусочка ветчины не более 4 % жирности (можно заменить вареными кальмарами или куриной грудкой);
- 2 яйца;
- пол столовой ложки белого уксуса;
- небольшой пучок укропа;
- несколько перышек зеленого лука;
- соль, перец.

Сварить яйца вкрутую. Порезать ветчину и яйца кубиками, мелко порубить зелень. Выложить в тарелки. Залить кефиром, который при необходимости можно разбавить минеральной водой. Добавить уксус, соль и перец по вкусу. Подавать окрошку холодной.

БЛЮДА ИЗ ПТИЦЫ

Хрустящие куриные крылышки ① ② ③ ④

Время подготовки: 10 минут.

Время приготовления: 20 минут.

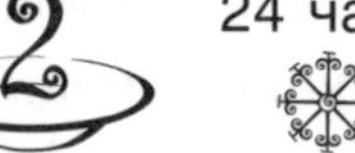

Ингредиенты:

- 6 куриных крылышек;
- 50 мл соевого соуса без сахара (например, Kikkoman);
- 1 зубчик чеснока;
- 1 столовая ложка жидкого сахарозаменителя;
- 4 чайные ложки смеси из пяти специй (аниса, гвоздики, перца, корицы, фенхеля);
- 1 чайная ложка свежего тертого имбиря.

С крылышек постараться убрать кожу, чеснок измельчить. Положить все ингредиенты в салатницу и перемешать. Поставить на 24 часа в холодильник, время от времени помешивая. Затем положить в жаропрочное блюдо и запекать в духовке на гриле. Когда крылышки выделят сок и начнут шипеть (примерно через 5–10 минут), перевернуть и оставить на гриле еще 5–10 минут. Перед приемом пищи освободить крылышки от остальной кожи. Внимание: так как кожа плохо снимается с куриных крыльев, то не рекомендуем их употреблять очень часто, они слишком жирные. Вы можете делать это блюдо в виде исключения в качестве праздничного.

Куриный шашлык в йогурте ① ② ③ ④

Время подготовки: 30 минут.

Время приготовления: 15 минут.

3 часа

Ингредиенты:

- 500 г куриного филе;
- 200 г обезжиренного йогурта (0 %);
- несколько маленьких белых луковиц;
- половина лимона;
- 1 чайная ложка куркумы;
- молотый красный перец на кончике ножа;
- половина чайной ложки молотого тмина;
- половина чайной ложки молотого кориандра;
- соль и перец.

Разрезать куриное филе на кусочки. Положить в глубокую посуду, добавить йогурт и специи. Все тщательно перемешать, накрыть крышкой и поставить на 3 часа в холодильник. Потом насадить кусочки курицы на деревянные шампуры, чередуя с кольцами лука, посолить и поперчить, маринад не выливать. Запекать 10–15 минут в духовке на гриле.

Тем временем очистить и нарезать 2 луковицы, пассеровать их на тефлоновой сковороде на медленном огне. Залить маринадом и разогреть, не доводя до кипения. В конце добавить лимонный сок. Используйте полученный соус во время трапезы для придания дополнительного вкуса шашлычку.

Куриный шашлык со специями ① ② ③ ④

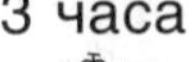

Время подготовки: 15 минут.

3 часа

Время приготовления: 10 минут.

Ингредиенты:

- 1 кг куриного филе;
- 250 мл обезжиренного йогурта (0 %);
- 1 зубчик чеснока;
- 1 чайная ложка паприки;

- 1 чайная ложка куркумы;
- 1 чайная ложка молотого тмина;
- 1 чайная ложка молотого кориандра;
- 1 чайная ложка тертого имбиря.

Замочить деревянные шампуры в воде, чтобы они не горели во время выпечки. Удалить лишний жир с куриного филе, курицу нарезать крупными кубиками. Подготовить маринад из йогурта, измельченного чеснока и специй.

Насадить на деревянные шампуры кусочки курицы, положить шашлыки на большое блюдо и полить маринадом. Дать постоять несколько часов или всю ночь в холодильнике. Затем готовить на гриле 8–10 минут, пока мясо не станет мягким и не обжарится до золотистой корочки.

Маринованные куриные шашлыки 

Время подготовки: 15 минут.

Время приготовления: 10 минут.

10 часов

Ингредиенты:

- 4 куриных филе;
- 8 молодых луковиц;
- 2 лимона;
- 4 зубчика чеснока;
- 1 чайная ложка молотого тмина;
- 1 чайная ложка тимьяна;
- соль и перец.

Порезать филе на кусочки и положить в глубокую миску, добавить измельченный чеснок, лимонный сок, тмин, тимьян, соль и перец. Накрыть фольгой и оставить в прохладном месте на ночь.

Очистить лук и нарезать кольцами. Насадить мясо на шампуры, чередуя его с луком, полить маринадом и запекать в духовке на гриле по 5 минут с каждой стороны.

Петушок с лимоном в соленой корке ① ② ③ ④

Время подготовки: 25 минут.

10 часов

Время приготовления: 50 минут.

Ингредиенты:

- петушок (400–500 г);
- 2 кг крупной соли;
- 2 яичных белка;
- 1 луковица;
- 2 лайма;
- 1 пучок петрушки;
- лавровый лист по вкусу;
- соль и перец.

Положить в литр холодной воды зелень, сок одного лайма, очищенный и нарезанный лук, немного соли, перец и петрушку. На следующий день фаршировать петушка изнутри полученной смесью.

Смешать белки с крупной солью и намазать смесью жаропрочное блюдо. Положить в блюдо к петушку и засыпать оставшейся соленой смесью. Выпекать в духовке 50 минут при температуре 210 °С (термостат 7). Перед подачей сломать ложкой соленую корку, разрезать петушка на две части и полить соком второго лайма.

Куриные окорочка в фольге ① ② ③ ④

Время подготовки: 10 минут.

Время приготовления: 45 минут.

Ингредиенты:

- 2 куриных окорочка (бедрышки);
- 100 г мягкого обезжиренного творога (0 %);
- 1 луковица-шалот;
- несколько веточек петрушки;
- 20 перышек зеленого лука;
- соль и перец.

Разогреть духовку до 150 °С (термостат 5).

Приготовить начинку: смешать творог, нарезанный кубиками лук, измельченные петрушку и зеленый лук. Посолить и поперчить.

Снять кожу с бедрышек, затем острым ножом сделать на них разрезы около 2 см в длину и глубиной около 1,5 см. Заполнить разрезы начинкой, оставшейся начинкой смазать бедрышки снаружи. Завернуть все в фольгу. На дно жаропрочного блюда налить немного воды, положить в это блюдо бедрышки и поставить в духовку. Запекать около 45 минут.

Куриные зразы ① ② ③ ④

Рецепт Катерины Букатко (группа «Диета Дюкан» ВКонтакте)

Время подготовки: 10 минут.

Время приготовления: 25 минут.

Ингредиенты для фарша:

- 500 г куриной грудки;
- 1 небольшая луковица;

- 1 яйцо;
- 2 столовые ложки овсяных отрубей;
- специи по вкусу;
- зелень;
- соль и перец.

Ингредиенты для начинки:

- зеленый лук;
- 2 яйца.

Измельчить лук и куриную грудку в комбайне (или пропустить через мясорубку). Добавить отруби, яйцо, соль и приправы. Тщательно перемешать.

Сварить вкрутую 2 яйца, остудить. Для начинки порезать зеленый лук и вареные яйца, хорошо их перемешать.

Сделать из фарша большую лепешку, на середину которой положить пару чайных ложек начинки. Соединить края, придать лепешке продолговатую форму. Обжарить зразы на сковороде с антипригарным покрытием до золотистой корочки, в конце добавить немного воды и продолжать тушить под крышкой 10–15 минут.

Куриные наггетсы ① ② ③ ④

Рецепт Ольги Александровой (группа «Диета Дюкан» ВКонтакте)

Время подготовки: 5 минут.

Время приготовления: 10 минут.

Ингредиенты:

- 4 куриных филе;
- 2 желтка;
- 4 столовые ложки овсяных отрубей;
- соль и перец.

Нарезать куриное филе небольшими плоскими квадратиками размером с обычные наггетсы.

В отдельной миске смешать венчиком желтки. Посолить и поперчить по вкусу.

Обмакнуть кусочки курицы в яичную смесь, затем в отруби для панировки.

Жарить без масла на сковородке с антипригарным покрытием, пока наггетсы не побелеют.

Индейка в молоке ① ② ③ ④

Время подготовки: 10 минут.

Время приготовления: 65 минут.

Ингредиенты:

- 1 кг филе индейки;
- 1 л обезжиренного молока;
- 5 зубчиков чеснока;
- щепотка мускатного ореха;
- соль и перец.

Приправить индейку солью, перцем, мускатным орехом. Положить в кастрюлю с антипригарным покрытием. Очистить и измельчить зубчики чеснока, добавить их к мясу.

Налить молоко — мясо должно быть закрыто молоком хотя бы на три четверти. Варить 5 минут на медленном огне.

Разогреть духовку до 210 °C (термостат 7). Поставить индейку в духовку на 50 минут. Каждые 10 минут переворачивать. В конце накрыть крышкой и оставить на 10 минут в выключенной духовке.

Подавать с образовавшимся в кастрюле соусом.

Куриные эскалопы Тандури   

Время подготовки: 15 минут.  10 часов 
Время приготовления: 20 минут.
Ингредиенты:

- 6 куриных грудок;
- 200 г обезжиренного йогурта (0 %) с натуральным вкусом;
- 2 чайные ложки «тандури масала»[1];
- 3 зубчика чеснока;
- тертый корень имбиря (около 2 см);
- 2 зеленых стручковых перца;
- соль и перец.

Измельчить чеснок и перец, очень мелко натереть имбирь, чтобы масса была однородной консистенции. Все ингредиенты (кроме курицы) тщательно перемешать. Сделать надрезы на мясе, чтобы маринад из йогурта со специями пропитал мясо. Обмазать курицу полученным соусом со всех сторон. Мариновать всю ночь в холодильнике.

На следующий день запекать около 20 минут в духовке, разогретой до 180 °C (термостат 6). В конце подрумянить на гриле.

Курица Тандури 

Время подготовки: 30 минут.  6 часов 
Время приготовления: 35 минут.
Ингредиенты:

- 4 куриные ножки;
- 200 г обезжиренного йогурта (0 %);
- 4 столовые ложки индийской специи «тандури масала»;

[1] Тандури масала — индийская смесь специй, в состав которой входят имбирь, куркума, чеснок, перец чили, кориандр, тмин, соль. Можно приобрести в магазинах восточных специй или в больших супермаркетах. — *Прим. ред.*

- сок одного лимона;
- 1 зубчик чеснока;
- соль и перец.

Снять кожу с куриных ножек и разрезать их пополам. Сложить ножки в глубокую тарелку и полить соком лимона. В большой миске смешать смесь специй «тандури» с йогуртом и измельченным зубчиком чеснока.

Мясо слегка посолить, поперчить и залить полученным соусом. Накрыть крышкой и мариновать не менее 6 часов в холодильнике, время от времени переворачивая.

Достать куриные ножки из маринада и поставить в духовку на 35 минут, переворачивая и поливая 3–4 раза остальным маринадом.

Куриное филе в йогурте и карри ① ② ③ ④

Время подготовки: 5 минут.

Время приготовления: 5 минут.

1 час

Ингредиенты:

- 4 куриных филе;
- 200 г обезжиренного йогурта (0 %);
- 3 чайные ложки порошка карри;
- соль и перец.

Разогреть гриль. Смешать йогурт с солью, перцем и карри. В приготовленный маринад положить куриное филе, поставить мариноваться в прохладное место в течение часа. Запекать на гриле по 5 минут с каждой стороны, поливая во время жарки маринадом 1–2 раза.

Курица с цитронеллой   

Время подготовки: 20 минут.
Время приготовления: 55 минут.
Ингредиенты:

- 1,5 кг куриных грудок;
- 2 маленькие луковицы;
- 3 веточки цитронеллы (лимонной травы);
- 1 щепотка паприки;
- 2 столовые ложки соуса «нуок мам»[2];
- 2 столовые ложки соевого соуса без сахара (например, Kikkoman);
- 2 столовые ложки сахарозаменителя;
- пара капель оливкового масла;
- соль и перец.

Порезать курицу длинными тонкими полосками. Очистить лук и нарезать тонкими кольцами. Мелко порезать цитронеллу. Обжарить куриное мясо в сковороде, слегка смазанной маслом, чтобы оно подрумянилось (около 10 минут). Добавить лук, цитронеллу, паприку, «нуок мам», соевый соус, соль, перец и сахарозаменитель. Убавить огонь, накрыть крышкой и тушить 45 минут.

Курица по-индийски  

Время подготовки: 20 минут.
Время приготовления: 60 минут.
Ингредиенты:

24 часа
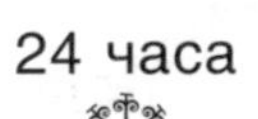

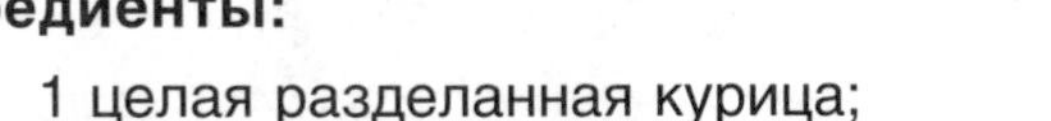

- 1 целая разделанная курица;
- 0,5 л постного куриного бульона;

[2] Вьетнамский рыбный соус нуок мам можно купить в специализированном магазине восточных продуктов. — *Прим. ред.*

- 300 г обезжиренного йогурта (0 %) с натуральным вкусом;
- 1 лимон;
- 1 корень имбиря;
- 3 зубчика чеснока;
- 1 чайная ложка молотой корицы;
- 2 щепотки кайенского перца;
- 1 чайная ложка семян кориандра;
- 3 бутончика гвоздики;
- 10 листьев мяты;
- 2 луковицы;
- соль и перец.

Снять с лимона цедру. Очистить и измельчить имбирь, чтобы получилось 4 столовые ложки массы. Очистить и измельчить чеснок. Смешать йогурт, имбирь, чеснок, специи, лимон и нарезанные листья мяты. Положить в эту смесь посоленную и поперченную курицу и поместить в холодильник на 24 часа.

На следующий день нарезать лук тонкими кольцами и потушить с небольшим количеством воды в большой сковороде с антипригарным покрытием. Добавить курицу с маринадом в бульон. Варить на медленном огне около 1 часа. Подавать горячим.

Курица с имбирем ① ② ③ ④

Время подготовки: 20 минут.

Время приготовления: 60 минут.

Ингредиенты:

- 1 курица;
- 2 больших луковицы;
- 3 зубчика чеснока;

- несколько бутонов гвоздики;
- 1 чайная ложка тертого имбиря;
- пара капель оливкового масла;
- 1 стакан воды;
- соль и перец.

Нарезанный лук и измельченный чеснок обжарить на медленном огне на слегка смазанной маслом сковороде. Нарезать курицу. Положить кусочки курицы с гвоздикой на сковородку. Залить водой. Добавить тертый имбирь. Посолить, поперчить. Готовить на слабом огне до полного испарения воды.

Курица в йогурте   

Время подготовки: 15 минут.

Время приготовления: 90 минут.

Ингредиенты:

- 1 курица;
- 200 г обезжиренного йогурта (0 %);
- 120 г нарезанного лука;
- половина чайной ложки молотого имбиря;
- половина чайной ложки паприки;
- 2 чайные ложки лимонного сока;
- 2 чайные ложки порошка карри;
- цедра половины лимона;
- соль и перец.

Снять кожу с курицы, нарезать мясо на кусочки и положить в сковородку с антипригарным покрытием. Добавить нарезанный лук и остальные ингредиенты. Накрыть крышкой. Тушить на медленном огне 1,5 часа. При необходимости в конце варки снять крышку с кастрюли, чтобы соус немного выпарился.

Холодец из курицы ①②③④

Рецепт Виктории Соколовой (группа «Диета Дюкан» ВКонтакте)

Время подготовки: 15 минут.

Время приготовления: 90 минут.

10 часов

Ингредиенты:

- 1,5 кг курицы;
- 1 луковица;
- 2 яйца;
- 30 г желатина;
- 2 лавровых листа;
- зелень (по вкусу);
- 3 зубчика чеснока;
- 2,5 л воды;
- соль, душистый перец.

Снять с курицы кожу, положить в кастрюлю и залить водой так, чтобы она покрыла мясо полностью. Когда вода закипит, снять пену и лишний жир. Посолить. Добавить в бульон лук, перец и чеснок. Варить 1 час. За 5 минут до окончания варки добавить лавровый лист.

Развести желатин в двух стаканах теплой воды и оставить набухать. В это время вынуть из бульона курицу и лук. Процедить бульон и оставить 1,5 л для холодца.

Остудить курицу и отделить мясо от костей. Выложить на дно прямоугольного блюда зелень.

Пока мясо варится, сварить яйца вкрутую, остудить. Разрезать яйца на половинки и положить в блюдо. Сверху поместить измельченное мясо и порезанный на маленькие дольки чеснок.

Процеженный бульон поставить на огонь, добавить разведенный желатин и тщательно перемешать. Разогреть бульон, но не доводить до кипения. Аккуратно залить мясо бульоном. Убрать в холодильник застывать. Подавать с хреном или горчицей.

Курица с лимоном   

Время подготовки: 15 минут.

Время приготовления: 45 минут.

Ингредиенты:

- 500 г куриного филе;
- 150 мл воды;
- 1 луковица;
- 2 зубчика чеснока;
- половина чайной ложки измельченного имбиря;
- сок и цедра 2 лимонов;
- 2 столовые ложки соевого соуса без сахара (например, Kikkoman);
- 1 пучок зелени;
- щепотка корицы;
- щепотка молотого имбиря;
- соль и перец.

В течение 3–4 минут обжарить на медленном огне на сковороде с антипригарным покрытием нарезанный кубиками лук, чеснок и имбирь. Порезать мясо кубиками среднего размера. Добавить курицу на сковородку и жарить 2 минуты на сильном огне, помешивая деревянной лопаткой. Выжать на курицу лимонный сок, добавить соевый соус и 150 мл воды. Приправить зеленью, корицей, молотым имбирем, тертой цедрой лимона, солью и перцем. После этого следует тушить 45 минут на медленном огне, накрыв крышкой. Подавать горячим.

Экзотическая курица ① ② ③ ④

Время подготовки: 20 минут.

Время приготовления: 90 минут.

Ингредиенты:

- 4 куриных бедрышка;
- 300 г обезжиренного йогурта (0 %);
- 2 луковицы;
- 2 зубчика чеснока;
- французская смесь специй (перец, гвоздика, мускатный орех и имбирь) на кончике ножа;
- 2 чайные ложки порошка карри;
- 1 палочка корицы;
- 2 чайные ложки тмина;
- 10 семян кардамона;
- щепотка шафрана;
- кайенский перец на кончике ножа;
- пара капель оливкового масла.

Обжарить бедрышки, предварительно сняв с них кожу, на среднем огне в слегка смазанной маслом большой сковороде. Добавить мелко нарезанный лук и измельченный чеснок. Смешать йогурт со смесью четырех специй и карри, затем вылить в сковороду к курице. Накрыть крышкой и тушить на слабом огне 50 минут. Затем добавить палочку корицы, тмин, кардамон, шафран и кайенский перец. Тушить еще 30 минут. Выложить бедрышки на горячее блюдо. Процедить соус, а затем довести его блендером до однородной консистенции. Залить полученным соусом бедрышки и сразу же подавать.

Куриный паштет 

Время подготовки: 15 минут.

Время приготовления: 10 минут.

2 часа

Ингредиенты:

- 500 г куриных грудок (или индейки);
- 100 мл обезжиренного йогурта (0 %);
- 2 луковицы;
- 5 корнишонов;
- щепотка молотого черного перца;
- щепотка мускатного ореха;
- пара капель оливкового масла;
- соль и перец.

Поджарить грудки до золотистой корочки на слегка смазанной маслом сковороде на сильном огне в течение 5 минут с каждой стороны. Пропустить грудки через мясорубку со всеми остальными ингредиентами для получения однородной массы. Выложить смесь в горшочки и поставить в холодильник минимум на 2 часа.

Жареная курица с лимоном и каперсами ① ② ③ ④

Время подготовки: 20 минут.

Время приготовления: 20 минут.

Ингредиенты:

- 800 г куриного филе;
- 1 красный лук;
- цедра одного лимона;
- 5 столовых ложек лимонного сока;
- 5 листьев базилика;

- соль и перец;
- 1 столовая ложка каперсов;
- пара капель оливкового масла.

Пассеровать мелко нарезанный лук на слегка смазанной маслом сковороде с антипригарным покрытием, затем снять его со сковороды и выложить на тарелочку. На той же сковороде на среднем огне обжаривать кусочки курицы, нарезанные тонкими полосками, в течение 15 минут. Добавить обжаренный лук, лимонную цедру, каперсы, лимонный сок, измельченный базилик, соль и перец. Подавать горячим.

Суфле из куриной печени ① ② ③ ④

Время подготовки: 20 минут.

Время приготовления: 40 минут.

Ингредиенты:

- 250 г куриной печени;
- 1 зубчик чеснока;
- 1 пучок петрушки;
- 4 яйца;
- 500 мл любого разрешенного соуса (в белково-овощные дни можно использовать и соус бешамель, см. стр. 284);
- пара капель оливкового масла;
- соль и перец.

Поджарить печень на слегка смазанной маслом сковородке с антипригарным покрытием, затем добавить измельченные чеснок и петрушку.

Отделить белки от желтков. В соус добавить печень и яичные желтки, размешать. Взбить яичные белки до образования пены и добавить их к печени. Приправить солью и перцем. Положить печень в жаропрочное блюдо. Разогреть духовку до 180 °C (термостат 6) и выпекать около 30 минут, пока суфле не подрумянится.

Террин из куриной печени ① ② ③ ④

Время подготовки: 15 минут.

Время приготовления: 5 минут.

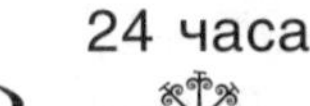

24 часа

Ингредиенты:

- 300 г куриной печени;
- 150 мл мягкого обезжиренного творога (0 %);
- 3 столовые ложки малинового уксуса;
- 1 пучок эстрагона;
- пара капель оливкового масла;
- соль и перец.

Поджарить печень на слегка смазанной маслом сковородке с антипригарным покрытием. Разбавить малиновым уксусом сок, который образовался во время жарки. Посолить и поперчить. Листья эстрагона, печень и творог измельчить блендером. Полученное пюре выложить в формочки. Оставить в прохладном месте на 24 часа.

Тимбаль из индейки ① ② ③ ④

Время подготовки: 30 минут.

Время приготовления: 20 минут.

Ингредиенты:

- 250 г филе индейки;
- 3 столовые ложки мягкого обезжиренного творога (0 %);
- 1 лук-шалот;

- несколько веточек петрушки;
- половина зубчика чеснока;
- 1 лимон;
- соль и перец.

Разогреть духовку до 180 °C (термостат 6). Нарезать тонкими полосками филе индейки. Смешать творог с луком, мелко нарезанной петрушкой, толченым чесноком. Полить лимонным соком. Посолить и поперчить. Выложить мясо слоями в форму с антипригарным покрытием, чередуя с творогом так, чтобы верхним слоем оказалась индейка. Выпекать в духовке 20 минут на водяной бане. Подавать горячим.

Курица в фольге 

Время подготовки: 15 минут.

Время приготовления: 55 минут.

Ингредиенты:

- 2 тонких куриных филе;
- 2 кроличьих окорочка;
- тимьян, лавровый лист, шалфей или розмарин;
- пара капель оливкового масла;
- соль и перец.

Поджарить филе на сильном огне на слегка смазанной маслом сковороде с антипригарным покрытием. Окорочка разделить на 2 части и обернуть каждую часть куриным филе. Выложить мясо на фольгу, посыпать измельченной зеленью и добавить соль и перец по вкусу. Завернуть в фольгу и запекать 50 минут в духовке, разогретой до 220 °C (термостат 7).

Террин из ветчины ① ② ③ ④

Время подготовки: 40 минут.

Время приготовления: 5 минут.

Ингредиенты:

- 200 г куриной ветчины (или индейки) не более 4 % жирности;
- 0,5 л воды;
- 2 пакета желатина (20 г);
- 1 большой пучок петрушки.

Растворить желатин в 0,5 л воды. Довести жидкость до кипения, постоянно помешивая. Когда закипит, убрать с огня и дать остыть.

Вымыть петрушку, отрезать стебли и мелко порезать. Налить тонкий слой желатина в форму и поставить на 5 минут в морозильник. Остальной желатин смешать с мелко нарезанной петрушкой и ветчиной. Выложить половину этой смеси в форму и поставить еще на 15 минут в морозильник. Добавить оставшуюся смесь в форму и поставить на 2 часа в холодильник, после чего можно подавать на стол.

Внимание: чтобы извлечь террин из формы, опустите ее в горячую воду.

МЯСНЫЕ БЛЮДА

Закуска из ветчины ① ② ③ ④

Время подготовки: 15 минут.

Время приготовления: 0 минут.

Ингредиенты:

- 170 г постной ветчины (не более 4 % жирности);
- 225 г плавленого сыра 0 % жирности (можно заменить протертым обезжиренным творогом (0 %);
- 4 луковицы-шалот;
- несколько перышек зеленого лука;
- майоран или другие приправы по вкусу;
- несколько капель табаско.

Ветчину, луковицу и зеленый лук нарезать. Все ингредиенты тщательно перемешать. Сформовать в маленькие шарики и выложить на блюдо.

Рулетики из ветчины ① ② ③ ④

30 минут

Время подготовки: 10 минут.

Время приготовления: 0 минут.

Ингредиенты:

- 8 кусков постной ветчины (не более 4 % жирности);
- 200 г мягкого обезжиренного творога (0 %);
- 1 зубчик чеснока;
- 1 небольшой пучок зеленого лука;
- 4 веточки петрушки.

Очистить и измельчить чеснок, вымыть и нарезать лук, затем смешать с творогом. Кусочки ветчины смазать полученной смесью и свернуть в рулетики.

Поставить в холодильник на 30 минут, чтобы творог застыл. Украсить рулетики петрушкой.

Говядина Люк Лак ① ② ③ ④

Время подготовки: 10 минут. 30 минут

Время приготовления: 10 минут.

Ингредиенты:

- 400 г говяжьей вырезки;
- 1 большой кусок имбиря;
- 2 столовые ложки соевого соуса без сахара (например, Kikkoman);
- 1 столовая ложка устричного соуса[3];
- 4 зубчика чеснока;
- несколько стеблей кориандра;
- пара капель оливкового масла;
- перец.

Нарезать мясо кубиками со стороной 1 см. Приправить соевым и устричным соусами, тертым имбирем и перцем. Мариновать в течение 30 минут. Перед подачей слегка смазать сковороду маслом и пассеровать измельченный чеснок до золотистого цвета и появления приятного запаха. После чего добавить мясо и обжарить его на сильном огне около 15 секунд, постоянно помешивая. Мясо не должно быть сильно прожаренным. Украсить несколькими стеблями кориандра.

[3]Устричный тайский соус можно купить в магазинах восточных специй или в больших супермаркетах. — *Прим. ред.*

Телячье жаркое   

Время подготовки: 10 минут.

Время приготовления: 60 минут.

Ингредиенты:

- 1 кг телятины;
- 1 зубчик чеснока;
- 1 большая луковица-шалот;
- 1 стакан постного мясного бульона;
- 1 столовая ложка смеси душицы, базилика и прованских трав;
- соль и перец.

Мясо посолить и поперчить, затем подрумянить сначала на сильном, затем на среднем огне. Нарезать лук-шалот, измельчить чеснок. Когда мясо подрумянится, добавить бульон и специи, все потушить минут 40–45.

Жаркое порезать на части и подавать с томатным соусом (томатная паста без сахара).

Телячья печень в малиновом уксусе ① ② ③ ④

Время подготовки: 15 минут.

Время приготовления: 15 минут.

Ингредиенты:

- 100 г телячьей печени;
- 1 небольшая луковица;
- 1 луковица-шалот;
- 1 столовая ложка малинового уксуса;

- 1 чайная ложка тимьяна;
- половина лаврового листа;
- пара капель оливкового масла;
- соль и молотый перец.

Нарезать лук тонкими кольцами, обжарить на среднем огне на слегка смазанной маслом сковороде с антипригарным покрытием. Когда лук подрумянится, выложить его на отдельную тарелку. В той же сковороде жарить печень по 4 минуты с каждой стороны. Посолить и поперчить ее, снять с огня, переложить на тарелку.

В той же сковороде обжарить мелко нарезанный лук-шалот на среднем огне. Добавить малиновый уксус, тимьян, лавровый лист и тушить 2 минуты, постоянно помешивая. Соединить печень с другими ингредиентами. Подавать сразу же.

Кролик в папильотках 

Время подготовки: 15 минут.

Время приготовления: 55 минут.

Ингредиенты:

- 2 тоненькие куриные котлеты;
- 2 филе кролика (спинная часть);
- тмин, лавровый лист, розмарин по вкусу;
- соль и перец.

Разогреть духовку до 220 °С (термостат 7).

Быстро обжарить куриные котлеты на сильном огне на сковороде с антипригарным покрытием.

Разрезать кролика на 2 части и завернуть в каждую по половине куриной котлеты. Выложить полученные рулеты на алюминиевую фольгу, добавить специи по вкусу. Закрыть папильотки из фольги и выпекать 50 минут в духовке.

БЛЮДА ИЗ ЯИЦ

Диетический домашний сыр ① ② ③ ④

Рецепт Виктории Соколовой (группа «Диета Дюкан» ВКонтакте)

Время подготовки: 10 минут.

Время приготовления: 25 минут.

1 час

Ингредиенты:

- 1 кг зернистого обезжиренного творога (0 %);
- 1 л обезжиренного молока;
- 3 яйца;
- 1 чайная ложка соды;
- 1,5 чайной ложки соли;
- специи по вкусу.

Положить творог и молоко в кастрюлю. Нагреть до кипения и варить 7–10 минут, периодически помешивая. Если творог сухой, то он сразу начнет слегка плавиться и немного тянуться. Готовую массу откинуть на дуршлаг, застеленный марлей. Дать жидкости стечь 2–3 минуты. На ощупь масса будет похожа на мягкий пластилин. Чтобы ускорить процесс, можно отжать массу руками.

В отдельную посуду с толстым дном положить полученный творог, яйца, соль, соду и все тщательно перемешать руками. Поставить смесь на средний огонь и, постоянно помешивая, расплавлять. При расплавлении масса начнет тянуться. Проварить смесь 5–7 минут, постоянно помешивая. Когда масса начнет отставать от стенок посуды — сыр готов.

Переложить сырную массу на блюдо, накрыть пленкой, чтобы сыр не заветривался. Охладить.

Яичница с копченым лососем ① ② ③ ④

Время подготовки: 10 минут.

Время приготовления: 10 минут.

Ингредиенты:

- 100 г копченого лосося;
- 1 столовая ложка мягкого обезжиренного творога (0 %);
- 5 столовых ложек обезжиренного молока;
- 8 яиц;
- 4 перышка зеленого лука;
- соль и перец.

Нарезать лосось тонкими полосками. В миске взбить венчиком яйца, слегка приправить солью и перцем. Налить в кастрюлю обезжиренное молоко и подогреть. Когда молоко нагреется, добавить взбитые яйца и варить на слабом огне, постоянно помешивая. Снять с огня, вылить полученную смесь на лосось и обезжиренный творог. Украсить зеленым луком.

Яичница  

Время подготовки: 10 минут.

Время приготовления: 10 минут.

Ингредиенты:

- 4 яйца;
- половина стакана обезжиренного молока;
- 2 веточки петрушки (или зеленого лука);
- щепотка мускатного ореха;
- соль и перец.

Взбить венчиком яйца, добавить молоко, соль, перец и мускатный орех. Варить на водяной бане на медленном огне, постоянно помешивая. Подавать сразу же, посыпав мелко нарезанной петрушкой или зеленым луком.

Яичница с крабом ① ② ③ ④

Время подготовки: 10 минут.

Время приготовления: 10 минут.

Ингредиенты:

- 6 средних яиц;
- 100 г крабового мяса;
- 2 луковицы-шалот среднего размера;
- 2 столовые ложки соуса «нуок мам»[4].

Аккуратно взбить вилкой яйца с соусом «нуок мам». Измельчить лук-шалот и обжарить 1 минуту на сковороде с антипригарным покрытием до прозрачности. Добавить лук к яйцам. Слегка обжарить крабовое мясо и смешать его с яйцами. Полученную смесь жарить около 3–5 минут, чтобы яичница слегка застыла, но при этом не была пережаренной. Снять с огня и сразу подавать.

Яйца, фаршированные скумбрией ① ② ③ ④

Время подготовки: 15 минут.

Время приготовления: 10 минут.

Ингредиенты:

- 1 банка скумбрии в собственном соку (185 г);
- 4 яйца;

[4] См. сноску на стр. 65.

- 50 г мягкого обезжиренного творога (0 %);
- горчица по вкусу;
- соль и перец.

Сварить яйца вкурутую, остудить. Разрезать каждое яйцо вдоль на две части. Желток положить в салатницу, белки отложить.

К желткам добавить филе скумбрии, творог, горчицу, соль и перец. Размять получившуюся массу вилкой и тщательно перемешать. Заполнить половинки белков полученной смесью. Перед подачей охладить.

Омлет с тунцом 

Время подготовки: 10 минут.
Время приготовления: 10 минут.

Ингредиенты:

- 8 яиц;
- 2 филе анчоуса;
- 200 г тунца в собственном соку;
- несколько веточек свежей петрушки;
- пара капель оливкового масла;
- перец.

Нарезать анчоусы тонкими полосками. Взбить яйца, добавить анчоусы и фарш из тунца. Поперчить, добавить измельченную петрушку.

Жарить омлет на среднем огне на слегка смазанной маслом сковороде с антипригарным покрытием.

Омлет с тофу ① ② ③ ④

Время подготовки: 15 минут.

Время приготовления: 5 минут.

Ингредиенты:

- 2 яйца;
- 400 г тофу;
- 1 зубчик чеснока;
- 2 столовые ложки соевого соуса без сахара (например, Kikkoman);
- несколько веточек петрушки;
- пара капель оливкового масла;
- перец.

Взбить в миске яйца со специями. Добавить кубики тофу, перемешать. Вылить яйца на слегка смазанную маслом сковородку, накрыть крышкой и готовить на медленном огне.

Перед подачей на стол посыпать измельченной зеленью петрушки.

Запеканка ① ② ③ ④

Время подготовки: 15 минут.

Время приготовления: 20 минут.

Ингредиенты:

- 6 столовых ложек мягкого обезжиренного творога (0 %);
- 3 яйца;
- 2 кусочка куриной ветчины (не более 4 % жирности);

- 1 луковица;
- щепотка мускатного ореха;
- пара капель оливкового масла;
- соль и перец.

Ветчину и лук порезать и тщательно перемешать с творогом. Взбить яйца венчиком и аккуратно перемешать с ранее полученной массой, добавить соль, перец и мускатный орех. Выложить массу в слегка смазанную маслом форму и запекать 20 минут в предварительно разогретой до 240 °C (термостат 8) духовке.

Террин из яиц с лососем 

Время подготовки: 30 минут.

Время приготовления: 10 минут.

24 часа

Ингредиенты:

- 10 яиц;
- 4 куска копченого лосося;
- 2 пучка свежей зелени (петрушка, зеленый лук, эстрагон);
- 1 пакетик желатина;
- майонез по рецепту доктора Дюкана (см. стр. 279).

Сварить яйца вкрутую (10 минут в кипящей воде), охладить, очистить, а затем мелко порезать и смешать с половиной мелко нарезанной зелени. Выложить яйца слоями в форму, чередуя с кусочками лосося. Приготовить желе по рецепту на упаковке и залить им яйца. Поставить блюдо на 24 часа в холодильник. Остальную зелень смешать с майонезом «Дюкан».

Подавать паштет порезанным на кусочки и политым майонезом.

БЛЮДА ИЗ РЫБЫ И МОРЕПРОДУКТОВ

Мусс из морских гребешков ① ② ③ ④

Время подготовки: 15 минут.

Время приготовления: 15 минут.

Ингредиенты:

- 8 морских гребешков;
- 2 яйца;
- 200 г мягкого обезжиренного творога (0 %);
- соль и перец.

Извлечь гребешки из раковин и измельчить блендером, смешав с творогом. Добавить яичные желтки, посолить, поперчить. Осторожно соединить получившуюся смесь с взбитыми в пену белками. Разложить смесь в 4 формочки и варить на пару 15 минут.

Извлечь из формочек и подавать теплым с лимонным соусом (см. стр. 286).

Тартар из креветок ① ② ③ ④

Время подготовки: 10 минут.

Время приготовления: 10 минут.

Ингредиенты:

- 250 г очищенных розовых креветок;
- 5 веточек свежего укропа;
- четверть чайной ложки паприки;
- 6 столовых ложек майонеза «Дюкан» (см. стр. 279);
- перец.

Вымыть и мелко порезать укроп. Смешать с майонезом. Сварить креветки, крупно порезать и добавить их в майонез. Приправить паприкой и перцем, перемешать еще раз.

Пирог с креветками ① ② ③ ④

Время подготовки: 10 минут.
Время приготовления: 40 минут.
Ингредиенты:

- 300 г очищенных розовых креветок;
- 4 яйца;
- 500 г мягкого обезжиренного творога (0 %);
- соль, перец.

Разбить яйца в миску, посолить, поперчить, взбить венчиком, как на омлет, добавить творог и хорошо перемешать. Сварить креветки, добавить к творожной массе. Вылить все в форму для выпечки. Поставить в духовку, предварительно нагретую до 200 °С (термостат 6). Выпекать 30 минут.

Паштет из морепродуктов ① ② ③ ④

Время подготовки: 15 минут.
Время приготовления: 30 минут.
Ингредиенты:

- горсть морепродуктов (свежих или замороженных);
- 2 столовые ложки пшеничных отрубей;
- 2 столовые ложки овсяных отрубей;
- 3 столовые ложки мягкого обезжиренного творога (0 %);
- 3 яйца;
- соль, перец, специи по вкусу.

Смешать блендером все ингредиенты до получения однородной массы. Вылить смесь в форму для выпечки, выложенную пергаментной бумагой. Запекать 30 минут в духовке при температуре 180 °С (термостат 6).

Заливное из рыбы ① ② ③ ④

Время подготовки: 15 минут.

Время приготовления: 9 минут.

3 часа

Ингредиенты:

- 3 кусочка филе белой рыбы;
- 250 мл воды;
- 150 мл постного бульона;
- 2 г агар-агара[5];
- сок одного лимона;
- соль и перец.

На слабом огне подогреть бульон с водой, солью, перцем и агар-агаром. Через 5 минут добавить рыбу и варить 4 минуты под закрытой крышкой. Затем вылить смесь в блюдо и полить лимонным соком. Остудить, поставить в холодильник на несколько часов. Подавать с томатным пюре без сахара.

Скат с зеленью  

Время подготовки: 25 минут.

Время приготовления: 5–7 минут с момента закипания.

Ингредиенты:

- 1 крыло ската;
- 70 мл винного уксуса;

[5]Агар-агар - растительный заменитель желатина на основе водорослей, можно приобрести в магазине специй. — *Прим. ред.*

- 2 стакана воды;
- 1 большой пучок свежей зелени (зеленый лук, петрушка, эстрагон и т.д.);
- соль, перец.

Ингредиенты для соуса:

- 1 лимон (половина на сок, половина для украшения);
- несколько веточек зелени по вкусу (петрушка, кервель, эстрагон, зеленый лук);
- соль, перец.

Положить на дно верхнего сосуда пароварки сначала нарезанную зелень, затем вымытую рыбу. Посолить, поперчить, снова посыпать зеленью. В нижний сосуд залить 2 стакана воды, смешанной с уксусом. Закрыть пароварку и варить рыбу 5 минут с момента кипения воды. Когда рыба будет готова, удалить кожу вместе с зеленью. Отделить от костей и выложить на горячую тарелку.

Подавать рыбу горячей, полить лимонным соком и посыпать зеленью. Украсить дольками лимона.

Скат в белом соусе 

Время подготовки: 10 минут.

Время приготовления: 10 минут.

Ингредиенты:

- 2 крыла ската;
- 100 г мягкого обезжиренного творога (0 %);
- 750 мл воды;
- 2 столовые ложки каперсов;

- 3 лавровых листа;
- 2 столовые ложки уксуса с эстрагоном;
- 1 луковица-шалот;
- соль и перец.

Довести до кипения 750 мл воды с уксусом. В кипящую воду положить рыбу и лавровый лист.

Варить 8–10 минут. В это время пассеровать на среднем огне мелко нарезанный лук-шалот, приправленный небольшим количеством уксуса, солью и перцем. Когда лук-шалот подрумянится, уменьшить огонь до минимума, добавить каперсы, творог и нагревать, часто помешивая. Не нагревать соус слишком сильно.

Очистить рыбу от кожи. Подавать с соусом.

Рыбные котлеты 

Рецепт Юлии Арефьевой (группа «Диета Дюкан» ВКонтакте)

Время подготовки: 20 минут.

Время приготовления: 5 минут.

Ингредиенты:

- 1 кг трески;
- 200 г крабовых палочек или крабового мяса;
- 1 средняя луковица;
- 1 яйцо;
- 100 мл обезжиренного молока;
- 2 столовые ложки овсяных и пшеничных отрубей;
- соль, перец.

Треску, крабовое мясо и лук пропустить через мясорубку. Добавить в фарш яйцо и соль. Хорошо перемешать. Сформовать котлеты.

Залить овсяные и пшеничные отруби обезжиренным молоком, чтобы они немного набухли. Обвалять котлеты в отрубях и жарить пару минут с каждой стороны.

К котлетам можно приготовить соус: мелко порезать 3 корнишона, смешать с майонезом по рецепту доктора Дюкана (см. стр. 279). Полить котлеты соусом перед подачей.

Треска с травами ① ② ③ ④

Время подготовки: 10 минут.

Время приготовления: 15 минут.

Ингредиенты:

- 600 г филе трески;
- 1 луковица-шалот;
- 1 луковица;
- 1 пучок свежей зелени;
- 1 лимон;
- 4 маленьких острых перца;
- соль и перец.

Разогреть духовку до 210 °С (термостат 7). Лук-шалот, лук и зелень мелко порезать и перемешать. Снять с лимона цедру и выжать из него сок. Разрезать острые перцы на две части. Выложить рыбное филе на 4 прямоугольных куска фольги. Посолить, поперчить, сверху накрыть зеленью и острым перцем. Полить лимонным соком. Свернуть края фольги вместе, выложить на противень, поставить в духовку и запекать 15 минут.

Треска в горчичном соусе ① ② ③ ④

Время подготовки: 10 минут.

Время приготовления: 10 минут.

Ингредиенты:

- 1 филе трески большого размера;
- 125 г мягкого обезжиренного йогурта (0 %);
- 2 столовые ложки каперсов;
- 1 пучок петрушки;
- 1 столовая ложка горчицы;
- 1 чайная ложка лимонного сока;
- соль и перец.

Посолить филе трески и отварить на пару 8–10 минут (в зависимости от толщины). В это время выложить йогурт в сотейник, добавить горчицу, лимонный сок, каперсы, мелко нарезанную петрушку и приправить перцем. Подогреть на медленном огне. Выложить приготовленную рыбу в блюдо, полить соусом. Подавать горячим.

Треска с луком-шалотом в горчице ① ② ③ ④

Время подготовки: 20 минут.

Время приготовления: 20 минут.

Ингредиенты:

- 400 г филе трески;
- 50 г мягкого обезжиренного творога (0 %);
- 4 луковицы-шалот;
- 1 столовая ложка горчицы;
- 1 столовая ложка воды;
- 2 столовые ложки лимонного сока;
- соль и перец.

Разогреть духовку до 180 °C (термостат 6). Порезать лук-шалот и подогреть в кастрюле с водой, пока вода не испарится, а лук-шалот не станет прозрачным. Творог смешать с горчицей и лимонным соком, посолить, поперчить. Лук-шалот положить на дно жаропрочного блюда, выложить сверху филе трески и залить соусом из творога и горчицы. Запекать 15 минут в духовке.

Крем из тунца 

Время подготовки: 10 минут.

Время приготовления: 25 минут.

Ингредиенты:

- 200 г тунца в собственном соку;
- 0,5 л воды;
- 1 луковица;
- 3 столовые ложки томатной пасты без сахара;
- 1 зубчик чеснока;
- соль.

Подогреть в кастрюле подсоленную воду. Измельчить тунец. Очистить и измельчить лук и чеснок. В соленую воду положить тунец, лук, чеснок и томатную пасту. Варить под крышкой на медленном огне 25 минут.

Ассорти из тунца 

Время подготовки: 10 минут.

Время приготовления: 0 минут.

Ингредиенты:

- 480 г тунца в собственном соку;
- несколько веточек петрушки;

- несколько каперсов;
- треть чайной ложки порошка карри;
- несколько перышек зеленого лука;
- несколько капель табаско.

Слить сок с тунца, размять его вилкой и смешать с остальными ингредиентами. Подавать в холодном виде.

Паштет из тунца ① ② ③ ④

Время подготовки: 15 минут.

Время приготовления: 45–50 минут.

Ингредиенты:

- 2 банки тунца в собственном соку;
- 2–3 столовые ложки мягкого обезжиренного творога (0 %);
- 2 яйца;
- несколько каперсов;
- соль, перец.

Измельчить с помощью блендера 1,5 банки тунца. Добавить творог, яйца, соль и перец. Перемешать до однородной массы. Добавить каперсы и оставшегося тунца, еще раз перемешать. Вылить смесь в форму для выпечки и запекать в течение 45–50 минут в духовке, предварительно нагретой до 180 °C (термостат 6).

Тартар из тунца ① ② ③ ④

Время подготовки: 15 минут.

Время приготовления: 0 минут.

15 минут

Ингредиенты:

- 1 кг тунца;
- 1 столовая ложка мягкого обезжиренного творога (0 %);

- 1 зубчик чеснока;
- 1 лайм;
- 5 см корня имбиря;
- 1 пучок зеленого лука;
- 1 чайная ложка вазелинового масла;
- соль и перец.

Нарезать тунец кубиками, полить соком лайма. Положить в миску чеснок, тертый корень имбиря, нарезанный зеленый лук, творог и вазелиновое масло. Посолить, поперчить, добавить в рыбу. Смешать все и поставить на 15 минут в холодильник.

Тартар из тунца и морского леща   

Время подготовки: 20 минут.

Время приготовления: 0 минут.

15 минут

Ингредиенты:

- 400 г тунца;
- 400 г морского леща (дорады);
- 1 луковица-шалот;
- 6 веточек свежего укропа;
- 6 чайных ложек лососевой икры;
- 1 столовая ложка вазелинового масла с эстрагоном, смешанного с 1 столовой ложкой газированной воды;
- 1 лайм;
- соль, розовый перец, обычный перец.

Мелко нарезать тунца и леща. Полить рыбу маслом и лимонным соком, посолить, поперчить. Добавить мелко нарезанный лук и укроп. Разложить в 6 формочек и поставить на 15 минут в холодильник. Извлечь охлажденную массу из формочек. На каждую порцию выложить чайную ложку лососевой икры. Посыпать розовым перцем и украсить укропом. Подавать с кружочками лайма.

Изысканная дорада ① ② ③ ④

Время подготовки: 5 минут.

Время приготовления: 10 минут.

Ингредиенты:

- 150 г морского леща (дорада);
- 150 г мягкого обезжиренного творога (0 %);
- щепотка шафрана;
- соль и перец.

Филе морского леща положить в жаропрочную форму. Посолить, поперчить. Смазать творогом, смешанным с небольшим количеством шафрана. Накрыть фольгой. Выпекать около 10 минут в предварительно разогретой до 210 °С (термостат 7) духовке.

Дорада с луковым конфитюром ① ② ③ ④

Время подготовки: 10 минут.

Время приготовления: 20 минут.

Ингредиенты:

- 2 дорады (морской лещ);
- 1 большая луковица;
- несколько веточек петрушки;
- пара капель оливкового масла;
- соль, перец.

Очистить и мелко порезать лук. Обжарить его на слегка смазанной маслом сковороде с антипригарным покрытием. Лук не должен быть сильно прожаренным. Разогреть духовку до 180 °С (термостат 6).

Выложить лук на два листа бумаги для выпечки, положить на него филе дорады. Посолить и поперчить, посыпать мелко нарезанной петрушкой. Завернуть в бумагу и выпекать в духовке 15 минут.

Копченый лосось с творожком ① ② ③ ④

Время подготовки: 10 минут. 1 час

Время приготовления: 0 минут.

Ингредиенты:

- 4 кусочка копченого лосося;
- 300 г мягкого обезжиренного творога (0 %);
- 100 г зернистого обезжиренного творога (0 %);
- 1 небольшая баночка лососевой икры;
- несколько стеблей зеленого лука;
- соль и перец.

Смешать мягкий и зернистый творог. Добавить икру, соль и перец. Смазать этой массой кусочки лосося и свернуть их в рулетики. Завязать зеленым луком или скрепить зубочистками. Положить в холодильник и вынуть только перед подачей на стол. Украсить икрой.

Подавать с лепешками из отрубей, приготовленными по основному рецепту доктора Дюкана (см. стр. 107).

Котлеты из лосося в горчичном соусе ① ② ③ ④

Время подготовки: 20 минут.

Время приготовления: 15 минут.

Ингредиенты:

- 200 г филе лосося (около 200 г);
- 6 чайных ложек мягкого обезжиренного творога (0 %);
- 2 луковицы-шалот;

- укроп;
- 1 столовая ложка горчицы;
- пара капель оливкового масла;
- соль, перец.

Положить лосось на несколько минут в морозилку, затем разрезать его на тонкие кусочки (примерно 50 г каждый).

На слегка смазанной маслом сковороде с антипригарным покрытием обжарить рыбу по несколько минут с каждой стороны (на среднем огне). Поставить рыбу в теплое место. Очистить и мелко порезать лук-шалот. Поджарить его в той же сковороде, добавить горчицу и творог. Готовить на медленном огне, пока смесь не загустеет (около 5 минут). Добавить на пару минут в сковородку лосось и укроп, посолить, поперчить. Подавать сразу же после приготовления.

Морской окунь на пару ① ② ③ ④ с мятой и корицей

Время подготовки: 5 минут.

Время приготовления: 10 минут.

Ингредиенты:

- 4 филе окуня;
- половина чайной ложки молотой корицы;
- половина лимона;
- 2 палочки корицы;
- 3 веточки свежей мяты.

В нижнем сосуде пароварки подогреть воду со свежей мятой и молотой корицей (оставить несколько листьев мяты для украшения блюда). В верхний сосуд положить филе и готовить на пару 10 минут. Подавать с лимонным соком, украсив веточкой мяты и половиной палочки корицы.

Тартар из морского окуня с лаймом ① ② ③ ④

Время подготовки: 20 минут.

Время приготовления: 0 минут.

2 часа

Ингредиенты:

- 400 г морского окуня;
- 2 луковицы-шалот;
- 125 г мягкого обезжиренного творога (0 %);
- несколько стеблей зеленого лука;
- половина лимона;
- 4 лайма;
- соль и перец.

Мелко нарезать лук-шалот и зеленый лук. Измельчить рыбу ножом, смешать с зеленью и специями. Полученную массу разложить на тарелки, украшенные дольками лайма. Слегка взбить венчиком творог, посолить, поперчить, добавить сок лимона. Залить соусом рыбу с луком и поставить на пару часов в холодильник. Подавать холодным.

Сайда с каперсами  

Время подготовки: 15 минут.

Время приготовления: 10 минут.

Ингредиенты:

- 4 филе сайды;
- 100 г обезжиренного йогурта (0 %);
- 1 яичный желток;
- 2 столовые ложки каперсов;

- несколько веточек петрушки;
- 1 лавровый лист;
- несколько стеблей зеленого лука;
- 3 горошины перца;
- 2 столовые ложки лимонного сока;
- 1 стакан воды;
- соль.

Просушить рыбное филе бумажным полотенцем и выложить в сковороду с антипригарным покрытием. Добавить лавровый лист, перец и соль. Залить холодной водой. После того как вода закипит, варить на медленном огне 10 минут. Вылить в сотейник йогурт, подогреть его на медленном огне. В отдельной миске смешать яичный желток с лимонным соком, затем вылить смесь в сотейник с йогуртом и, помешивая, довести до кипения. Добавить каперсы, мелко нарезанные петрушку и зеленый лук. Положить рыбу на тарелку и полить йогуртовым соусом.

Сайда по-индийски ① ② ③ ④

Время подготовки: 20 минут.

Время приготовления: 25 минут.

Ингредиенты:

- 300 г сайды;
- 300 мл воды;
- 1 луковица среднего размера;
- 1 яичный желток;
- половина чайной ложки порошка карри;

- щепотка шафрана;
- несколько веточек петрушки;
- пара капель оливкового масла;
- соль и перец.

Довести до кипения 250 мл воды, добавить соль и положить филе сайды, варить около 20 минут.

Пока рыба варится, очистить лук, нарезать тонкими кольцами и обжарить на слегка смазанной маслом сковороде. Вылить в сковородку полстакана бульона и тушить около 2 минут.

Добавить яичный желток, разведенный в 50 мл воды. Подождать, пока соус загустеет. Посолить, поперчить, добавить порошок карри и шафран. Выложить филе сайды в горячее блюдо и полить соусом. Посыпать мелко нарезанной зеленью петрушки.

Путассу по-нормандски   

Время подготовки: 20 минут.

Время приготовления: 22 минуты.

Ингредиенты:

- 150 г неочищенных мидий;
- 300 г филе путассу;
- 4 чайные ложки мягкого обезжиренного творога (0 %);
- 2 зубчика чеснока;
- 1 чайная ложка томатной пасты без сахара;
- 1 лавровый лист;
- несколько веточек свежего чабреца.

Отварить мидии в закрытой сковороде 8–10 минут, пока раковины не откроются.

Извлечь мидии и отлить из сковородки 100 мл сока, который образовался во время варки. Положить филе путассу в скороварку и тушить 10 минут на слабом огне в соке мидий с лавровым листком, чабрецом и измельченным чесноком.

Когда рыба станет мягкой, достать ее из скороварки. Положить в скороварку томатную пасту, творог и мидии. Прогреть получившийся соус 2 минуты на слабом огне. Залить рыбу соусом и подавать.

Паштет из путассу ① ② ③ ④

Время подготовки: 20 минут.

Время приготовления: 40 минут.

Ингредиенты:

- 600 г путассу;
- 2 столовые ложки мягкого обезжиренного творога (0 %);
- 1 л воды;
- несколько веточек базилика;
- несколько веточек эстрагона;
- несколько веточек кинзы;
- 1 яйцо;
- соль и перец.

Сварить рыбу в подсоленной воде (20 минут). Перемешать бульон и рыбу со взбитым яйцом и творогом.

Посолить, поперчить, добавить зелень. Разложить смесь в формы и варить 20 минут на водяной бане.

Морской язык в микроволновке  

Время подготовки: 10 минут.

Время приготовления: 2 минуты.

Ингредиенты:

- 200 г филе морского языка;
- 1 помидор для соуса;
- 1 зубчик чеснока;
- несколько каперсов;
- 4 листочка базилика.

Выложить филе морского языка на блюдо, которое может быть использовано в микроволновой печи. В другой тарелке смешать мелко порезанный помидор с чесноком, каперсами и измельченным базиликом. Полить рыбу полученным томатным соусом. Выпекать 2–3 минуты в микроволновой печи на максимальной мощности.

Морской язык, ① ② ③ ④ маринованный в лимонном соке

Время подготовки: 5 минут.

Время приготовления: 10 минут.

2 часа

Ингредиенты:

- 4 филе морского языка;
- сок 2 лимонов;
- соль и перец.

Промыть рыбу и высушить полотенцем. Мариновать не менее 2 часов в лимонном соке, затем слить маринад. Обжарить рыбу с каждой стороны на сковороде с антипригарным покрытием. Посолить, поперчить. Полить маринадом и подавать сразу же.

Ломтики сырой скумбрии   

Время подготовки: 15 минут.

Время приготовления: 0 минут.

Ингредиенты:

- 300 г скумбрии;
- несколько капель табаско;
- 1 столовая ложка соевого соуса без сахара (например, Kikkoman);
- несколько веточек зелени;
- 1 столовая ложка лимонного сока;
- 1 столовая ложка вазелинового масла;
- несколько веточек эстрагона;
- соль.

Слегка замороженную рыбу порезать на длинные тонкие кусочки. Из остальных ингредиентов приготовить маринад и обильно полить им рыбу. Подержать в маринаде пару часов. Подавать на тарелке, украшенной дольками лимона.

Скумбрия по-бретонски ① ② ③ ④

Время подготовки: 20 минут.

Время приготовления: 30 минут.

Ингредиенты:

- 6 скумбрий;
- 3 луковицы-шалот;
- 1 небольшой пучок петрушки;
- 6 столовых ложек яблочного уксуса;
- несколько стеблей зеленого лука.

Мелко нарезать лук-шалот, петрушку и зеленый лук. Отложить их в сторону. Выпотрошить рыбу и ополоснуть внутри. Отрезать хвосты и плавники. Положить по 1 тушке рыбы на листок алюминиевой фольги. Каждую тушку посыпать свежей зеленью внутри и снаружи. Полить уксусом. Завернуть в фольгу и положить в духовку, нагретую до 190 °C (термостат 6–7). Запекать 30 минут.

Паштет из скумбрии ① ② ③ ④

Время подготовки: 20 минут.

Время приготовления: 25 минут.

Ингредиенты:

- 1 кг скумбрии;
- 1 л воды;
- 2 лимона;
- несколько веточек петрушки или зеленого лука;
- 5 столовых ложек горчицы с зеленым перцем или эстрагоном;
- морская соль.

Вымыть и почистить скумбрию, удалив изнутри черную оболочку. Положить рыбу в холодную воду. Довести до кипения на сильном огне, добавить морскую соль, варить 20 минут, затем, погасить огонь и дать постоять 5 минут под крышкой. Достать скумбрию, охладить. Удалить кожу ножом, размять мясо вилкой. Смешать получившийся рыбный фарш с горчицей, смешанной с лимонным соком, мелко нарезанным зеленым луком и петрушкой.

Полученную массу выложить в небольшие чашечки. Украсить дольками лимона и петрушкой.

ХЛЕБ, ЛЕПЕШКИ И ПИЦЦА

Овсяная лепешка с творогом ① ② ③ ④

Время подготовки: 20 минут.

Время приготовления: 40 минут.

Ингредиенты:

- 100 г постной ветчины (не более 4 % жирности);
- 250 г мягкого обезжиренного творога (0 %);
- 250 мл обезжиренного молока;
- 250 г белкового порошка[6];
- 5 яиц;
- полпакетика сухих дрожжей;
- несколько корнишонов;
- несколько листьев базилика;
- 1 пучок зеленого лука;
- соль и перец.

В большой миске взбить венчиком яйца. Медленно влить к ним молоко и всыпать белковый порошок, соль, перец, листья базилика. Энергично мешать до однородной массы.

Постепенно добавить творог и дрожжи. В конце положить один или несколько из следующих компонентов: корнишоны и/или ветчину и/или зеленый лук.

Выложить смесь в форму для выпечки. Выпекать 40 минут в разогретой до 200 °C духовке (термостат 6–7). Остудить и достать из формы еще теплое тесто. Подавать в качестве закуски теплым или холодным.

[6] Белковый порошок можно купить в специализированных магазинах, продающих спортивное питание. — *Прим. ред.*

Соленые овсяные лепешки ① ② ③ ④

Время подготовки: 20 минут.

Время приготовления: 35 минут.

Ингредиенты:

- 2 столовые ложки овсяных отрубей;
- 1 столовая ложка пшеничных отрубей;
- 1 столовая ложка мягкого обезжиренного творога (0 %);
- 60 г плавленого сырка 0 % жирности (можно заменить протертым обезжиренным творогом (0 %);
- 3 яйца;
- зелень на выбор;
- соль и перец.

Начинка на выбор:

- 150 г мясного фарша;
- 150 г постной ветчины (не более 4 % жирности);
- 200 г копченого лосося;
- 185 г измельченного тунца.

Отделить желтки от белков. Смешать все ингредиенты для теста (за исключением белков). Добавить выбранную начинку. Взбить белки и добавить их к начинке. Все хорошо перемешать. Жарить в горячей сковороде с антипригарным покрытием примерно 30 минут на среднем огне, перевернуть деревянной лопаточкой и жарить еще 5 минут.

Сладкая лепешка ① ② ③ ④

Время подготовки: 20 минут.

Время приготовления: 35 минут.

Ингредиенты для теста:

- 2 столовые ложки овсяных отрубей;
- 1 столовая ложка пшеничных отрубей;
- 1 столовая ложка мягкого обезжиренного творога (0 %);
- 60 г плавленого сырка 0 % жирности (можно заменить протертым обезжиренным творогом (0 %);
- 3 яйца;
- 1 чайная ложка сахарозаменителя.

Начинка на выбор:

- 2 столовые ложки миндального ароматизатора без сахара;
- 1 чайная ложка обезжиренного какао (например, Van Houten 11 %), смешанного с 1 яичным желтком (этот вариант не подходит для белковых дней!).

Отделить белки от желтков. Смешать все ингредиенты для теста (за исключением белков) до получения однородной смеси. Затем добавить на свой выбор начинку. Взбить белки и добавить их к начинке, все хорошо перемешать. Готовить на раскаленной сковороде в течение примерно 30 минут на среднем огне, после чего перевернуть деревянной лопаточкой и подержать на огне еще 5 минут.

Если вы выбрали версию с какао, полить лепешку глазурью из какао и желтка перед подачей.

Хлеб из крабовых палочек ① ② ③ ④

Время подготовки: 10 минут.

Время приготовления: 30 минут.

Ингредиенты:

- 8 яиц;
- 300 г порезанных крабовых палочек;
- 3 столовые ложки мягкого обезжиренного творога (0 %);
- несколько веточек петрушки;
- 1 баночка томатной пасты без сахара (100 г);
- соль и перец.

Все ингредиенты тщательно перемешать. Выложить в форму для выпечки и запекать 30 минут в предварительно разогретой до 160 °C (термостат 5) духовке. Подавать холодным.

Хлеб из двух видов отрубей ① ② ③ ④ с кинзой

Рецепт Анны Осиповой (группа «Диета Дюкан» ВКонтакте)

Время подготовки: 10 минут.

Время приготовления: 30 минут.

Ингредиенты:

- 4 яйца;
- 6 столовых ложек сливочного сыра 0 % жирности или мягкого обезжиренного творога (0 %);
- 10 столовых ложек овсяных отрубей;
- 6 столовых ложек пшеничных отрубей;

- три четверти пакетика сухих дрожжей;
- молотый кориандр, кориандр в зернах по вкусу;
- 1 чайная ложка сахарозаменителя;
- щепотка соли.

Разогреть духовку до 200 °C (термостат 7). Смешать миксером яйца, сыр, отруби, соль, сахарозаменитель, кориандр и дрожжи. Положить тесто в форму для выпечки хлеба. Выпекать 30 минут. Посыпать сверху чуть раздавленными зернами кориандра. Верхушку смазать водой и завернуть хлеб в сухое полотенце. Хлеб рассчитан на несколько дней.

Пицца Болоньезе ① ② ③ ④

Рецепт Ольги Александровой (группа «Диета Дюкан» ВКонтакте)

Время подготовки: 10 минут.

Время приготовления: 25 минут.

Ингредиенты:

- 2 столовые ложки овсяных отрубей;
- 1 столовая ложка пшеничных отрубей;
- 2 столовые ложки мягкого обезжиренного творога (0 %);
- 1 яйцо.

Ингредиенты для начинки:

- 300 г говяжьего фарша;
- 1 луковица;
- 100 г томатной пасты
  или диетического кетчупа без сахара;
- 1 яйцо;
- любые специи.

Смешать все ингредиенты для теста. Выложить тесто на противень на пергаментную бумагу или в жаропрочную форму для выпечки. Выпекать в духовке 15 минут при температуре 180 °С (термостат 6).

Достать тесто, смазать его томатной пастой. Мелко порезать лук и смешать его с фаршем. Выложить на тесто. Добавить специи. Разбить посередине яйцо. Выпекать в духовке 10 минут при температуре 220 °С (термостат 7).

ДЕСЕРТЫ

Бланманже (десерт-желе) ① ② ③ ④

Время подготовки: 25 минут.

Время приготовления: 5 минут.

4

2 часа

Ингредиенты:

- 400 г мягкого обезжиренного творога (0 %);
- 1 яичный белок;
- 2 листа желатина;
- 3 столовые ложки сыпучего сахарозаменителя;
- 8–10 капель экстракта горького миндаля.

Замочить желатин в миске с холодной водой. В сотейнике подогреть 50 г творога. Пластинки желатина залить водой, затем хорошо отжать, чтобы он получился набухшим, но не растворенным. Добавить тщательно высушенный и отжатый желатин к творогу. Все перемешать до полного растворения желатина. Выложить в салатницу оставшийся творог, 2 столовые ложки сахарозаменителя, миндальный экстракт. Взбить венчиком до однородной массы. Затем добавить творог с желатином.

Взбить яичный белок до образования густой пены. В конце добавить оставшийся сахарозаменитель и взбивать еще некоторое время. Аккуратно вылить в творог. Выложить смесь в 4 формочки и поставить в холодильник минимум на 2 часа.

Овсяное печенье ① ② ③ ④

Время подготовки: 10 минут.

Время приготовления: 15–20 минут.

Ингредиенты:

- 2 яйца;
- 1 столовая ложка пшеничных отрубей;

- 2 столовые ложки овсяных отрубей;
- половина чайной ложки жидкого сахарозаменителя;
- 20 капель ванильного ароматизатора.

Отделить белки от желтков. Смешать в миске 2 желтка, сахарозаменитель, ароматизатор и отруби. Взбить белки до образования густой пены и аккуратно добавить в полученную из желтков смесь. Вылить тесто в плоскую форму для выпечки. Выпекать около 15–20 минут в духовке, предварительно нагретой до 180 °C (термостат 6).

Кофейный крем ① ② ③ ④

Время подготовки: 5 минут.

Время приготовления: 20 минут.

Ингредиенты:

- 600 мл обезжиренного молока;
- 3 яйца;
- 1 чайная ложка крепкого молотого или растворимого кофе;
- 3 столовые ложки сахарозаменителя.

Вскипятить молоко с кофе. Взбить яйца с сахарозаменителем и добавить в молоко с кофе, постоянно помешивая. Вылить смесь в форму и выпекать на водяной бане в духовке, разогретой до 140 °C (термостат 4). Подавать охлажденным.

Пряный крем 

Время подготовки: 20 минут.

2 часа

Время приготовления: 20 минут.

Ингредиенты:

- 250 мл обезжиренного молока;
- 200 г мягкого обезжиренного творога (0 %);

- 1 звездочка аниса;
- 1 стручок ванили;
- 1 яичный желток;
- половина чайной ложки молотой корицы;
- 2 столовые ложки сахарозаменителя;
- 1 гвоздика.

Вскипятить молоко вместе со стручком ванили (разломав его вдоль на две части), корицей, гвоздикой и анисом. Взбить в миске яичные желтки с сахарозаменителем, пока смесь не побелеет. Медленно вылить яичные желтки в теплое молоко, постоянно помешивая. Варить 12 минут на слабом огне, часто помешивая, пока крем не загустеет. Профильтровать и охладить, добавить творог и поставить в холодильник. Подавать холодным.

Ванильный крем, 1-й вариант ① ② ③ ④

Время подготовки: 15 минут.

Время приготовления: 10 минут.

Ингредиенты:

- 2 стакана обезжиренного молока;
- 3 яйца;
- несколько капель ванильного ароматизатора;
- щепотка молотого мускатного ореха;
- половина стакана сыпучего сахарозаменителя;
- пара капель оливкового масла.

Разогреть духовку до 180 °C (термостат 6). Смазать форму для выпечки маслом или выстелить пергаментной бумагой для выпечки. Взбить венчиком молоко, яйца, сахарозаменитель и ароматизатор. Вылить крем в форму и посыпать мускатным орехом. Поставить на 10 минут в духовку на водяную баню, пока крем не загустеет. Подавать теплым или холодным.

Ванильный крем, 2-й вариант ① ② ③ ④

Время подготовки: 10 минут.

Время приготовления: 25 минут.

Ингредиенты:

- 1 л обезжиренного молока;
- 3 яичных желтка;
- 1 яичный белок;
- 1 стручок ванили;
- 100 г сыпучего сахарозаменителя.

Вскипятить молоко со стручком ванили. Снять с огня и дать остыть. Убрать стручок ванили и добавить сахарозаменитель. В охлажденное молоко влить желтки и белок, перемешать и разлить по формочкам. Выпекать в духовке на водяной бане 20 минут.

Десерт Лизалин  

Время подготовки: 20 минут.

Время приготовления: 30–40 минут.

Ингредиенты:

- 2 яйца;
- 6 столовых ложек мягкого обезжиренного творога (0 %);
- 1 столовая ложка лимонного сока;
- жидкий сахарозаменитель по вкусу.

Разогреть духовку до 180 °С (термостат 6). Отделить белки от желтков. Смешать желтки с творогом, сахарозаменителем и лимонным соком до однородной массы. Взбить белки до образования густой пены и аккуратно вылить в творожную массу. Вылить смесь в форму для выпечки и поставить в духовку. Выпекать 25–30 минут, затем включить гриль и выпекать еще 5–10 минут, пока десерт не подрумянится.

Десерт Музетт 

Время подготовки: 25 минут.
Время приготовления: 0 минут.

1 час

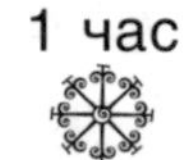

Ингредиенты:

- 3 листа желатина;
- 300 г мягкого обезжиренного творога (0 %);
- 2 яйца;
- 2 столовые ложки лимонного сока;
- сахарозаменитель по вкусу.

Замочить желатин в холодной воде на 10 минут. Подогреть лимонный сок на медленном огне. Растворить набухший желатин в соке, затем охладить. Отделить желтки от белков. Смешать творог с 2 яичными желтками и сахарозаменителем, добавить сок с желатином. Взбить белки до образования пены и аккуратно смешать с желтковой массой. Положить смесь в небольшую миску и поставить на 1 час в холодильник.

Флан ① ② ③ ④

Время подготовки: 15 минут.
Время приготовления: 45 минут.

Ингредиенты:

- 5 яиц;
- 375 мл обезжиренного молока;
- 1 стручок ванили;
- щепотка молотого мускатного ореха.

Взбить венчиком яйца в большой миске. Подогреть молоко со стручком ванили, не доводя до кипения.

Медленно вылить теплое молоко на яйца, приправить мускатным орехом и аккуратно перемешать. Вылить смесь в форму для выпечки.

Поместить в духовку, предварительно нагретую до 160 °С (термостат 5–6), на 40 минут. Следить, чтобы флан не пригорел.

Миндальное желе ① ② ③ ④

Время подготовки: 15 минут.

Время приготовления: 5 минут.

2 часа

Ингредиенты:

- 400 мл обезжиренного молока;
- 3 пластинки желатина;
- 6 капель миндального ароматизатора.

Размягчить листья желатина в небольшом количестве воды, затем слить ее. Вскипятить в кастрюле молоко с миндальным ароматизатором и добавить желатин в кипящее молоко. Помешивать, пока желатин полностью не растворится. Вылить желе в тарелку (слой желе должен быть не менее 1 см) и поставить в холодильник, чтобы оно застыло.

Кофейное граните с корицей ① ② ③ ④

Время подготовки: 10 минут.

Время приготовления: 0 минут.

75 минут

Ингредиенты:

- 0,5 л горячего черного кофе;
- 1 чайная ложка молотой корицы;
- сахарозаменитель по вкусу;
- 3 зерна кардамона.

Смешать горячий кофе с сахарозаменителем и специями. Охладить. Налить в мисочку и поставить в морозилку на час. После того как смесь застынет, взбить ее миксером. Снова выложить ее в миску и поставить на 15 минут в холодильник. Разложить по вазочкам и подавать.

Соленый Ласси 

Время подготовки: 5 минут.
Время приготовления: 0 минут.

1 час

Ингредиенты:

- 400 г обезжиренного йогурта (0 %);
- 0,5 л обезжиренного молока;
- 3 капли розовой воды или ароматизатора по вкусу;
- четверть чайной ложки зеленого молотого кардамона;
- щепотка соли.

Все ингредиенты перемешать и взбить венчиком. Разлить Ласси по стаканчикам и держать в прохладном месте до подачи.

Кофейный мусс ① ② ③ ④

Время подготовки: 10 минут.
Время приготовления: 0 минут.

3 часа

Ингредиенты:

- 300 г мягкого обезжиренного творога (0 %);
- 4 яичных белка;
- 2 столовые ложки сахарозаменителя;
- 1 столовая ложка растворимого кофе.

Размять творог вилкой. Добавить сахарозаменитель. Взбить белки до образования густой пены и аккуратно добавить в творог. Добавить кофе. Вылить в форму и дать постоять 3 часа в холодильнике.

Лимонный мусс 

Время подготовки: 20 минут.

Время приготовления: 2 минуты.

2 часа

Ингредиенты:

- 250 г мягкого обезжиренного творога (0 %);
- 1 яйцо;
- 2 листа желатина;
- половина лимона;
- 2 столовые ложки сахарозаменителя;
- 150 мл воды.

Замочить желатин в холодной воде. Натереть цедру половины лимона и отложить в сторону. Отделить белок от желтка. К желтку добавить половину сахарозаменителя, натертую лимонную цедру и 50 г творога. Смешать венчиком до получения бледно-желтой однородной массы. Вылить смесь в кастрюлю и варить на медленном огне 2 минуты. Снять с огня и аккуратно добавить желатин. Хорошо размешать, чтобы желатин полностью растворился. Взбить остальной творог венчиком до бархатистой текстуры. Добавить творог к лимонному крему. Взбить белки до образования пены. Высыпать остальной сахарозаменитель и взбивать еще несколько секунд. Осторожно соединить взбитый белок и лимонный крем. Поставить мусс в холодильник на пару часов.

Замороженный лимонный мусс 

Время подготовки: 10 минут.

Время приготовления: 0 минут.

2 часа

Ингредиенты:

- 4 яичных белка;
- 500 г мягкого обезжиренного творога (0 %);
- сок 5 лимонов;
- цедра 1-го лимона.

Взбить белки, затем отдельно взбить творог при помощи венчика, аккуратно смешать его с цедрой лимона, лимонным соком и взбитыми белками. Вылить в формочки и поместить в морозильную камеру.

Чайный сорбет ① ② ③ ④

4 часа

Время подготовки: 10 минут.

Время приготовления: 20 минут.

Ингредиенты:

- 300 мл воды;
- сок 1-го лимона;
- 3 столовые ложки зеленого чая;
- 4 листочка свежей мяты.

Вскипятить в кастрюле 300 мл воды, добавить зеленый чай и мяту и оставить под крышкой на 3 минуты. 60 мл полученного отвара вылить в плоскую тарелку и поставить в морозильник. Время от времени перемешивать вилкой. Остальной отвар процедить через марлю и пропустить вместе с лимонным соком через мороженицу в течение 15 минут.

Подавать в формочках, выкладывая сорбет горкой. Посыпать горку кристалликами замороженного чая и украсить листьями мяты.

Лимонный сорбет ① ② ③ ④

Время подготовки: 10 минут.

Время приготовления: 3 минуты.

Ингредиенты:

- 4 лайма;
- 500 г мягкого обезжиренного творога (0 %);
- 3 столовые ложки сыпучего сахарозаменителя.

Очистить 2 лайма, измельчить цедру блендером. Добавить к цедре творог, сок всех лаймов и сахарозаменитель. Все тщательно перемешать. Поставить в холодильник на 4 часа, а затем переложить в мороженицу и мешать 3 минуты.

Йогуртовый сорбет ① ② ③ ④

Время подготовки: 2 минуты.

Время приготовления: 15 минут.

Ингредиенты:

- 5 обезжиренных йогуртов (0 %);
- 2 столовые ложки мягкого обезжиренного творога (0 %);
- 2 лимона.

Очистить лимоны, натереть цедру и выжать сок. Взбить йогурт венчиком. Добавить в него тертую лимонную цедру, лимонный сок и творог. Все хорошо перемешать, пропустить через мороженицу в течение 15 минут.

Маффины ① ② ③ ④

Время подготовки: 10 минут.

Время приготовления: 20–30 минут.

Ингредиенты:

- 4 яйца;
- 4 столовые ложки мягкого обезжиренного творога (0 %);
- цедра лимона, корица или кофе на выбор;
- ароматизатор на выбор;
- 4 столовые ложки пшеничных отрубей;
- 8 столовых ложек овсяных отрубей;
- половина чайной ложки сахарозаменителя.

Разогреть духовку до 180 °C (термостат 6). Отделить белки от желтков. Взбить белки. Смешать остальные ингредиенты и добавить в белки. Выложить тесто в формочки для кексов и выпекать 20–30 минут.

Внимание: так как рецепт содержит отрубей больше дневной нормы, то все кексы за день лучше не съедать. Помните, что в день можно по 1,5 столовой ложки овсяных и пшеничных отрубей!

Лимонный пирог ① ② ③ ④

Время подготовки: 15 минут.

Время приготовления: 35 минут.

Ингредиенты:

- 3 яйца;
- 300 мл холодной воды;
- сахарозаменитель по вкусу;
- 1 лимон;
- щепотка соли.

Отделить белки от желтков. Взбить желтки с половиной объема сахарозаменителя. Добавить воду, сок и тертую цедру лимона. Варить на водяной бане на медленном огне, помешивая деревянной лопаточкой, пока смесь не загустеет. Снять с огня. Посолить белки, добавить оставшийся сахарозаменитель и взбить все до образования густой пены. Соединить белки с теплой массой. Выложить массу в форму для выпечки диаметром от 28 см (с антипригарным покрытием). Выпекать в духовке при температуре 180 °C (термостат 6), пока не подрумянится.

БЕЛКОВО-ОВОЩНЫЕ БЛЮДА

Блюда по рецептам из этого раздела можно употреблять только в белко-овощные дни на втором этапе и КАТЕГОРИЧЕСКИ запрещено в белковый четверг третьего и четвертого этапов

СУПЫ

Окрошка на кефире ② ③ ④

Рецепт Ольги Александровой (группа «Диета Дюкан» ВКонтакте)

Время подготовки: 15 минут.

Время приготовления: 0 минут.

Ингредиенты:

- 2 куска постной ветчины (не более 4 % жирности) или вареной курицы;
- 2 вареных яйца;
- 4 редиски;
- 1 маленький соленый огурчик;
- 2 стакана кефира 0 % жирности;
- половина стакана минеральной воды;
- 1 столовая ложка винного уксуса;
- несколько веточек петрушки;
- несколько перышек зеленого лука;
- соль, перец.

Нарезать ветчину (курицу), яйца и соленый огурец небольшими кубиками. Мелко покрошить зелень. Протереть редиску на крупной терке. Выложить овощи и зелень в тарелки, залить кефиром. При необходимости разбавить кефир водой. Добавить уксус. Посолить. Подавать холодным.

Свекольник ② ③ ④

Рецепт Юлии Заволокиной (группа «Диета Дюкан» ВКонтакте)

Время подготовки: 10 минут.

Время приготовления: 35 минут.

1 час

Ингредиенты:

- 400 г свеклы с ботвой;
- 4 яйца;
- 1 морковь;
- 4 средних огурца;
- 3,5 стакана кефира 0 % жирности;
- 1 столовая ложка винного уксуса;
- 4 таблетки сахарозаменителя;
- 1 маленький пучок укропа;
- соль, перец.

Сварить яйца вкрутую. Хорошо промыть и мелко нарезать свекольную ботву. Очистить свеклу от кожицы и нарезать соломкой. Выложить свеклу на сковороду, добавить 1 стакан горячей воды, сахарозаменитель, уксус и тушить под крышкой 10 минут. В конце добавить ботву и тушить еще минуты 3. Охладить.

Очистить морковь и нарезать соломкой. Протушить морковь на сковороде до полной готовности (15 минут). Сварить и очистить яйца. Нарезать половинками. Порезать огурцы мелкой соломкой. Соединить все ингредиенты в одной емкости, приправить по вкусу, добавить нарезанный укроп. Охладить. Залить кефиром и можно подавать.

Томатный суп с сельдереем 

1 час

Время подготовки: 15 минут.

Время приготовления: 0 минут.

Ингредиенты:

- 600 г помидоров;
- 200 г моркови;
- 1 лимон;
- несколько капель табаско;
- 1 ветка сельдерея с листьями;
- соль и перец.

Помидоры, морковь и сельдерей нарезать кубиками примерно по 2 см. Вымыть лимон, снять цедру, разделить мякоть на две части и нарезать мелкими кубиками. Все ингредиенты смешать блендером, посолить, поперчить, добавить соус табаско. Поставить на час в холодильник.

Желтый гаспачо ② ③ ④

Рецепт Натальи Шевцовой (группа «Диета Дюкан» ВКонтакте)

1 час

Время подготовки: 15 минут.

Время приготовления: 0 минут.

Ингредиенты:

- 1 кг желтых помидоров;
- 1 желтый болгарский перец;

- 1 огурец;
- половина стакана томатного сока;
- 1 чайная ложка прованских трав;
- 1 столовая ложка бальзамического уксуса;
- половина чайной ложки сухого чеснока;
- соль, перец.

Промыть овощи. Ошпарить помидоры и перец кипятком, снять кожицу. Очистить перец и удалить семена. Порезать помидоры, перец и огурец небольшими кусками. Измельчить все овощи блендером. Добавить томатный сок, мелко нарезанные травы, чеснок и уксус. Поставить в холодильник на 1 час. Подавать холодным. Можно подавать с гренками из хлеба доктора Дюкана (см. стр. 229).

Холодник по-белорусски ② ③ ④

Рецепт Юлии Заволокиной (группа «Диета Дюкан» ВКонтакте)

Время подготовки: 10 минут.

Время приготовления: 10 минут.

Ингредиенты:

- 400 г щавеля;
- 1 огурец;
- 2 яйца;
- 2 таблетки сахарозаменителя;
- 3 столовые ложки мягкого обезжиренного творога (0 %);
- 1 пучок зелени (укроп, петрушка, зеленый лук);
- соль, перец.

Промыть листья щавеля и мелко нарезать. Залить листья кипящей водой и варить 5–7 минут, затем охладить отвар. Яйца сварить вкрутую. Остудить. Мелко нарезать зеленый лук, растереть с солью до появления сока. Нарезать огурцы и белок вареных яиц. Соединить сок зеленого лука с вареными желтками и отваром из щавеля. Посолить, добавить сахарозаменитель. Использовать творог вместо сметаны.

Огуречный суп 

Время подготовки: 10 минут.

Время приготовления: 0 минут.

1 час

Ингредиенты:

- половина огурца;
- 1 столовая ложка мягкого обезжиренного творога (0 %);
- 1 столовая ложка густого томатного пюре без сахара;
- 1 зубчик чеснока;
- несколько капель табаско;
- несколько кубиков льда;
- соль, перец.

Очистить огурец от кожицы, измельчить блендером и добавить соль, перец и толченый чеснок. Добавить томатное пюре, соус табаско (по вкусу), творог и кубики льда. Подавать холодным.

Холодный томатный суп 

Время подготовки: 20 минут.

Время приготовления: 0 минут.

1 час

Ингредиенты:

- 1 кг помидоров;
- 1 луковица;
- 1 зубчик чеснока;

- 3 веточки петрушки;
- 1 веточка базилика;
- 1 веточка чабера;
- 1 веточка тимьяна;
- соль и перец.

Вымыть помидоры, обдать кипятком, очистить от кожи и удалить семена. Разрезать на четыре части. Очистить и порезать на четвертинки лук. Очистить чеснок. Сделать пюре из помидоров, базилика, петрушки, лука, чеснока с помощью блендера. Измельчить тимьян и чабер. Добавить к помидорам. Посолить и поперчить. Перелить суп в супницу и поставить в холодильник. Подавать холодным.

Овощной бульон «Евгения» 

Время подготовки: 15 минут.

Время приготовления: 5–6 минут.

Ингредиенты:

- 1,25 л постного куриного бульона;
- 2 средних помидора;
- 4 небольших гриба;
- 1 небольшая морковь;
- 1 стебель сельдерея;
- 1 пучок свежей петрушки;
- 1 стебель лука-порея;
- соль и перец.

Вымыть овощи и нарезать (кроме помидоров) тонкой соломкой. Помидоры порезать на четвертинки, удалить семена и избыток сока, затем нарезать крупными кубиками. Довести бульон до кипения, посолить, поперчить. Переложить овощи (кроме помидоров) в бульон и варить 5–6 минут под полузакрытой крышкой. Овощи должны оставаться хрустящими. В конце варки снять бульон с огня, добавить помидоры и мелко нарезанную петрушку. Подавать в горячем виде.

Куриный суп с шампиньонами ② ③ ④

Время подготовки: 20 минут.
Время приготовления: 15 минут.

Ингредиенты:

- 250 г вареной куриной грудки;
- 100 г грибов;
- 2 луковицы-шалот;
- 1 зубчик чеснока;
- несколько веточек кинзы;
- 1 чайная ложка молотого черного перца;
- 1 л постного куриного бульона;
- кориандр по вкусу;
- 2 столовые ложки вьетнамского соуса «нуок мам»[7].

Очистить грибы, нарезать полосками. Измельчить в пюре чеснок, кориандр и перец. Нарезать лук кубиками, измельчить петрушку. Положить грибы, лук и кинзу в слегка смазанный маслом сотейник. Пассеровать 1 минуту на среднем огне. Снять с огня и отложить в сторону.

Налить в кастрюлю бульон, довести его до кипения, добавить смесь из сотейника, кориандр, перец и соус «нуок мам». Накрыть крышкой и варить на слабом огне 5 минут. Мелко порезать курицу и добавить в суп. Варить суп несколько минут. В конце добавить нарезанный лук-шалот.

---

[7] См. сноску на стр. 65. — *Прим. ред.*

Борщ ② ③ ④

Рецепт Анны Павловой (группа «Диета Дюкан» ВКонтакте)

Время подготовки: 10 минут.

Время приготовления: 40 минут.

Ингредиенты:

- 2 куриные грудки;
- 1 кабачок;
- 1 морковь;
- 1 луковица;
- несколько листьев белой капусты;
- 1 болгарский перец;
- 1 свекла;
- 2 помидора;
- 1 л воды;
- соль, перец.

Сварить куриную грудку в 1 л воды (20–25 минут). Достать из бульона, покрошить и положить обратно в бульон.

Отдельно сварить свеклу, порезать кубиками, добавить в бульон, свекольный бульон не выливать.

Нашинковать мелко капусту, а кабачок нарезать кубиками и отправить в бульон. Потушить на сковородке порезанные кубиками болгарский перец, помидоры и лук. Смешать с мясным и свекольным бульоном, все довести до кипения, добавить измельченный чеснок и дать настояться 5 минут.

Подавать с обезжиренным творожком вместо сметаны.

Суп со щавелем 

Время подготовки: 35 минут.

Время приготовления: 20 минут.

Ингредиенты:

- 1 л постного куриного бульона;
- 2 яйца;
- 250 г шпината;
- 1 пучок щавеля;
- 1 луковица;
- 2 стебля лука-порея (белая часть);
- 5–6 листьев салата;
- 3 перышка зеленого лука;
- щепотка рубленого кервеля;
- пара капель оливкового масла;
- соль и перец.

Сварить яйца. Очистить и мелко нарезать лук. Промыть и мелко покрошить лук-порей, листья салата, щавеля и шпината.

Обжарить нарезанный репчатый лук и лук-порей на слегка смазанной маслом сковороде на среднем огне.

Добавить к ним остальные овощи и потушить 5 минут на слабом огне, постоянно помешивая. Залить все 1 л горячего бульона, посолить и поперчить. Варить 10 минут на среднем огне. Измельчить яйца и добавить в суп. Измельчить бульон с овощами в блендере до кремообразной массы. Посыпать рубленой зеленью.

Суп-пюре ② ③ ④ «Веселое настроение»

Рецепт Максима Хаустова (группа «Диета Дюкан» ВКонтакте)

Время подготовки: 10 минут.

Время приготовления: 40 минут.

Ингредиенты:

- 200 г куриного филе;
- 1 помидор;
- 1 морковь;
- 1 красный болгарский перец;
- 1 яйцо;
- 150 мл обезжиренного молока;
- 2 столовые ложки томатной пасты без сахара;
- 1 чайная ложка заправки «для супов»;
- 1,5 стакана куриного бульона;
- соль, перец.

Сварить куриное филе, бульон не выливать (25–30 минут). Обдать помидор кипятком и очистить его от кожи, порезать. Очистить перец от семян и порезать. Почистить и нарезать морковь. Измельчить овощи в блендере. Отдельно мелко порезать куриное филе.

Налить в кастрюлю 1,5 стакана бульона. Выложить в кастрюлю измельченные овощи и куриное филе. Перемешать. Влить в суп-пюре сырое яйцо, добавить молоко и томатную пасту. Все тщательно перемешать. Приправить и варить суп 10 минут.

Суп-пюре из цветной капусты ② ③ ④

Рецепт Натальи Шевцовой (группа «Диета Дюкан» ВКонтакте)

Время подготовки: 5 минут.

Время приготовления: 25 минут.

Ингредиенты:

- 1 небольшой кочан цветной капусты;
- 300 мл куриного постного бульона (можно заменить водой);
- 300 мл обезжиренного молока;
- пол чайной ложки шафрана;
- приправы по вкусу;
- соль, перец.

Подогреть куриный бульон и молоко в одной кастрюле. Добавить шафран. Разобрать цветную капусту на соцветия, добавить в молоко. Варить 15–20 минут, пока капуста не станет мягкой. Приправить, довести бульон с капустой с помощью блендера до кремообразного состояния.

Суп с эндивием 

Время подготовки: 15 минут.

Время приготовления: 15 минут.

Ингредиенты:

- 800 г копченой куриной ветчины (не более 4 % жирности);
- 1 л постного говяжьего бульона;
- 100 г эндивия (цикорий);
- 1 луковица;
- пара капель оливкового масла.

Нарезать эндивий и варить в бульоне 10 минут на среднем огне. Очистить, мелко нарезать и обжарить лук на слегка смазанной маслом сковороде. Мелко нарезать ветчину и обжарить с луком. Когда цикорий сварится, добавить в бульон лук и ветчину. Варить несколько минут на среднем огне.

Крем-суп из репы с карри ② ③ ④

Время подготовки: 20 минут.

Время приготовления: 45 минут.

Ингредиенты:

- 900 мл постного куриного бульона;
- 70 г постной ветчины (не более 4 % жирности);
- 1 кг репы;
- 200 г обезжиренного йогурта (0 %);
- 1 луковица;
- 4 зубчика чеснока;
- 2 веточки петрушки или зеленого лука;
- щепотка порошка карри;
- щепотка мускатного ореха;
- несколько капель соуса табаско;
- половина лимона;
- соль и перец.

Очистить репку и разрезать на средние куски. Очистить и крупно нарезать лук. Измельчить чеснок, затем пассеровать лук и чеснок на среднем огне в кастрюле с антипригарным покрытием. Накрыть крышкой и дать прокипеть на медленном огне 5 минут, затем добавить в кастрюлю репу. Перемешать, накрыть крышкой и варить еще 10 минут. Добавить порошок карри, хорошо перемешать и добавить бульон. Варить 30 минут на медленном огне.

Измельчить массу блендером до однородной кремообразной текстуры. Приправить по вкусу. Добавить несколько капель табаско и сок половины лимона. Подогреть суп и добавить в него 150 г йогурта. В это время обжарить ветчину в сковороде, удалить излишки жира бумажным полотенцем, измельчить. Подавать суп с йогуртом, жареной ветчиной, посыпав петрушкой и мускатным орехом.

Суп с морковью и фенхелем ② ③ ④

Время подготовки: 20 минут.

Время приготовления: 25 минут.

Ингредиенты:

- 1 л постного куриного бульона;
- 350 г лука-порея;
- 350 г репчатого лука;
- 1 клубень фенхеля;
- 4 средних моркови;
- 2 зубчика чеснока;
- четверть чайной ложки семян фенхеля;
- половина чайной ложки тимьяна;
- пара капель оливкового масла;
- соль и перец.

Обжарить измельченные репчатый лук, лук-порей, чеснок, семена фенхеля и тимьян на слегка смазанной маслом глубокой сковороде на среднем огне, пока не появится приятный запах. Нарезать мелкими кусочками морковь и клубень фенхеля, добавить в сковороду и тушить на медленном огне несколько минут. Добавить бульон, посолить и поперчить. Тушить, пока морковь и фенхель не станут мягкими. Если выпарится слишком много бульона, добавить немного воды. Перед подачей на стол положить в каждую тарелку немного нарезанной зелени укропа.

Греческий лимонный суп ② ③ ④

Время подготовки: 10 минут.
Время приготовления: 20 минут.
Ингредиенты:

- 1 л постного куриного бульона;
- 2 кабачка;
- 2 моркови;
- 1–2 яичных желтка;
- 1 лимон;
- щепотка шафрана.

Вскипятить бульон с шафраном. Натереть на крупной терке морковь и кабачки. Добавить морковь в кипящий бульон и варить 5 минут. Затем положить кабачки и варить еще 3 минуты. Добавить 1 или 2 яичных желтка, лимонный сок и тертую цедру лимона. Томить на среднем огне, не доводя до кипения еще 5 минут.

Суп с фенхелем ② ③ ④

Время подготовки: 20 минут.
Время приготовления: 50 минут.
Ингредиенты:

- 1 л постного куриного бульона;
- 50 г мягкого обезжиренного творога (0 %);
- 3 клубня фенхеля;

- 4 спелых помидора;
- 3 луковицы-шалот;
- несколько веточек тимьяна;
- несколько небольших лавровых листьев;
- несколько веточек петрушки;
- 2 зубчика чеснока;
- соль и перец.

Очистить и нарезать тонкой соломкой клубни фенхеля. Варить их 20 минут в бульоне на среднем огне под крышкой.

Обдать кипятком и очистить помидоры от кожуры, удалить семена. Очистить и мелко порезать лук-шалот и чеснок. Смешать с помидорами и измельчить блендером. Добавить в бульон овощи, тимьян и лавровый лист. Приправить по вкусу и варить еще 30 минут. Перед подачей добавить творог вместо сметаны и посыпать петрушкой.

Суп-пюре из фенхеля 

Время подготовки: 15 минут.

Время приготовления: 30 минут.

Ингредиенты:

- 0,5 л воды;
- 1 небольшой фенхель;
- 2 помидора;
- 2 столовые ложки мягкого обезжиренного творога (0 %);
- 1 цукини;
- щепотка тимьяна;
- несколько лавровых листьев;
- соль и перец.

Порезать фенхель вдоль на 4 части и бланшировать в кастрюле с 0,5 л подсоленной кипящей воды. Нарезать крупными кубиками помидоры и кабачки, добавить их в бульон с лавровым листом, тимьяном и фенхелем. Варить 15 минут под крышкой на среднем огне, пока овощи не станут мягкими. Удалить лавровый лист и измельчить блендером. Посолить, поперчить. Добавить немного творога, чтобы суп загустел, хорошенько размешать.

Суп из креветок ② ③ ④ с огурцом и кинзой

Время подготовки: 15 минут.

Время приготовления: 12 минут.

Ингредиенты:

- 12 больших креветок;
- 1,5 л постного куриного бульона;
- 1 огурец;
- 2 луковицы;
- 1 маленький перец чили;
- 2 веточки кинзы;
- 3 веточки петрушки.

Очистить креветки, оставить хвостики. Очистить и мелко нарезать огурцы, лук, острый перец, петрушку и кинзу.

Вскипятить в кастрюле бульон. Добавить огурцы, лук и креветки. Когда бульон закипит снова, варить пару минут. Посыпать рубленой зеленью и измельченным острым перцем. Подавать горячим.

БЛЮДА ИЗ ПТИЦЫ

Закуска из копченой курицы ② ③ ④

Время подготовки: 45 минут.

Время приготовления: 20 минут.

1 час

Ингредиенты:

Содержит 1 допускаемый продукт

- 175 г копченого куриного филе;
- 200 г грибов;
- 2 столовые ложки мягкого обезжиренного творога (0 %);
- 7 белков;
- 4 столовые ложки воды;
- 1 столовая ложка кукурузного крахмала;
- 1 пучок зеленого лука;
- 2 молодые луковицы;
- пара капель оливкового масла;
- соль, перец.

Взбить белки с водой и кукурузным крахмалом. Разогреть сковороду с антипригарным покрытием и ложкой выложить в нее приготовленную массу, как обычно выкладывают для оладий, в конце должно получиться 20 круглых лепешек диаметром около 10 см. Оставить лепешки остывать на бумажном полотенце. На слегка смазанной маслом сковороде обжарить нарезанные курицу, грибы и репчатый лук. Уменьшить огонь и добавить творог. Посыпать нарезанным зеленым луком, оставить 20 стеблей лука для дальнейшего использования. Посолить, поперчить. Положить начинку (мясо с соусом) на заранее приготовленные лепешки. Из лепешек сделать мешочки, обвязав их стебельком зеленого лука. Поставить в прохладное место. Подавать закуску, охладив до комнатной температуры.

Шашлыки Тика ② ③ ④

Время подготовки: 25 минут.

Время приготовления: 8–10 минут.

1 час

Ингредиенты:

- 800 г куриного филе;
- 100 мл обезжиренного йогурта (0 %);
- 1 зубчик чеснока;
- 1 луковица;
- 2 см свежего имбиря;
- 2 столовые ложки лимонного сока;
- половина столовой ложки молотого кориандра;
- 1 чайная ложка порошка «гарам масала»[8];
- несколько веточек кориандра;
- соль.

Порезать куриное филе на куски по 2 см. Очистить и измельчить лук с чесноком, смешать их вместе. Добавить очищенный и натертый имбирь, лимонный сок, соль, йогурт и мелко нарезанный кориандр. Тщательно перемешать все ингредиенты. Полученным соусом полить куриное филе и мариновать 1 час в прохладном месте. Затем нанизать кусочки куриного филе на деревянные шампуры. Печь в духовке на гриле 8–10 минут, часто переворачивая. Подавать горячими с огурцами, свежим луком и лимоном.

---

[8] Гарам масала — индийская смесь специй, которую можно купить в магазине восточных специй или приготовить самим, смешав 1 столовую ложку гвоздики, 2 столовые ложки фенхеля, 4 звездочки бадьяна, 2 столовые ложки семян тмина, 2 столовые ложки семян кориандра, 2 столовые ложки черного перца горошком, 1 столовую ложку семян кардамона, 7,5 см палочки корицы). — Прим. ред.

Куриный шашлык с горчицей ② ③ ④

Время подготовки: 20 минут.

2 часа

Время приготовления: 15 минут.

Ингредиенты:

Содержит 1 допускаемый продукт

- 4 куриных филе;
- 250 мл горячего постного куриного бульона;
- 4 столовые ложки обезжиренного молока;
- 1 чайная ложка кукурузного крахмала;
- половина зубчика чеснока;
- 2 столовые ложки острой горчицы;
- 1 столовая ложка лимонного сока.

Нарезать куриное филе крупными кусками и положить в салатницу. В отдельной миске смешать горчицу с лимонным соком, измельченным чесноком и бульоном. Отложить одну четвертую часть полученного маринада.

Остальным маринадом залить курицу, хорошо перемешать и поставить на пару часов в холодильник. После чего слить маринад, насадить курицу на деревянные шампуры, чередуя с кольцами лука, посолить и поперчить, и запекать 15 минут в горячей духовке на гриле.

В это время вылить отложенный маринад в небольшую кастрюлю, добавить молоко, смешать с кукурузным крахмалом и варить, пока соус не загустеет. Кусочки шашлыка можно окунать в полученный соус.

Куриное фрикасе с грибами и спаржей ② ③ ④

Время подготовки: 20 минут.
Время приготовления: 20 минут.
Ингредиенты:

- 1 кг куриного филе;
- 1 кг шампиньонов;
- 500 г спаржи;
- 2 луковицы;
- 1 лимон;
- 1 пучок петрушки или несколько веточек кервеля;
- пара капель оливкового масла;
- соль и перец.

Обжарить грибы на слегка смазанной маслом сковороде с антипригарным покрытием и отставить в сторону: они используются как гарнир к мясу. Мелко порезать и обжарить лук. Нарезать мясо кусочками и добавить к луку. Перемешать и жарить 6 минут на слабом огне. Добавить спаржу, порезанную кубиками, сок одного лимона, соль, измельченную петрушку. Готовить под крышкой на среднем огне 10–12 минут. Подавать вместе с грибами.

Курица с лимоном и имбирем в соусе карри ② ③ ④

Время подготовки: 30 минут.
Время приготовления: 60 минут.
Ингредиенты:

Содержит 1 допускаемый продукт

- 1 целая курица;
- 1 красный перец;

- 5–6 морковок;
- 1 луковица;
- 1 столовая ложка кукурузного крахмала;
- 1 лимон;
- 1 пучок зелени;
- 1 чайная ложка прованских трав;
- 2 лавровых листа;
- 1 щепотка карри;
- 2 см корня имбиря;
- 2 л воды;
- пара капель оливкового масла;
- соль, перец.

Наполнить кастрюлю водой на две трети. Положить туда курицу, добавить зелень, прованские травы, лавровый лист, нарезанный кубиками сладкий перец, соль и перец.

Довести до кипения, накрыть крышкой и варить около 50 минут на медленном огне. Добавить нарезанную морковь и варить еще 10 минут.

На слегка смазанной маслом сковороде обжарить нарезанный тонкими кольцами лук, добавить карри, кукурузный крахмал, растворенный в небольшом количестве воды, нарезанный на четверти лимон и нарезанный соломкой свежий имбирь, прованские травы.

Извлечь курицу из кастрюли, удалить с нее кожу и порезать на кусочки. Куриное мясо переложить в кастрюлю, залить ранее приготовленным соусом. При необходимости приправить. Морковь подавать отдельно.

Курица с лисичками ② ③ ④ в соусе эстрагон

Время подготовки: 20 минут.

Время приготовления: 25 минут.

Ингредиенты:

- 6 куриных бедрышек;
- 1 кг лисичек;
- 250 г мягкого обезжиренного творога (0 %);
- 150 мл постного куриного бульона;
- 1 веточка эстрагона;
- 1 зубчик чеснока;
- 1 пучок свежей петрушки;
- соль и перец.

Обжарить в кастрюле курицу, приправленную солью и перцем. Добавить 100 мл куриного бульона и веточку чистого эстрагона. Довести до кипения, накрыть крышкой, уменьшить огонь и варить 25 минут.

В сковороде потушить лисички с измельченным чесноком и петрушкой. Посолить и поперчить. Достать курицу из кастрюли, добавить веточку эстрагона и обезжиренный творог в получившийся после варки соус, все хорошо перемешать и варить на медленном огне несколько минут. Приправить в случае необходимости. Подавать бедрышки горячими с лисичками и соусом.

Курица с травами ② ③ ④

10 часов

Время подготовки: 15 минут.

Время приготовления: 60–90 минут.

Ингредиенты:

- 1 фермерская курица;
- 200 г лука-порея;

- 250 г моркови;
- 1 пучок свежего базилика;
- 3 зубчика чеснока;
- 1 лимон;
- сушеный розмарин по вкусу;
- сушеный тимьян по вкусу;
- 1 стакан воды;
- соль, перец.

Вымыть и высушить курицу бумажным полотенцем, нафаршировать измельченными базиликом и чесноком, лимоном, разрезанным на четверти, тимьяном и розмарином. Оставить в холодном месте на ночь.

На следующий день положить в глубокое жаропрочное блюдо вымытые и мелко порезанные морковку и лук-порей. Посолить, поперчить и подлить немного воды. Положить курицу на овощи и запекать 60–90 минут в духовке, разогретой до 210 °С (термостат 7).

Куриное филе с грибами ② ③ ④

Время подготовки: 20 минут.

Время приготовления: 30 минут.

Ингредиенты:

- 800 г куриного филе;
- 600 г шампиньонов;
- 250 мл постного куриного бульона;
- 2 помидора;
- 1 луковица;
- 2 зубчика чеснока;
- 1 лимон;
- соль и перец.

Порезать мясо на кусочки, помидоры обдать кипятком, очистить от кожуры и измельчить. Очистить и измельчить лук и чеснок. Тщательно вымыть и очистить шампиньоны, порезать и полить несколькими каплями сока лимона, чтобы они не почернели. Положить шампиньоны в кастрюлю с антипригарным покрытием. Посолить, поперчить и готовить на слабом огне, пока не пустят сок. Затем удалить сок и отставить их в сторону.

Потушить в кастрюле лук с небольшим количеством воды. Добавить куриное филе, помидоры, чеснок, куриный бульон, соль и перец. Варить 20 минут на медленном огне. Подавать с грибами.

Курица с перцами ② ③ ④

Время подготовки: 40 минут.
Время приготовления: 13 минут.

24 часа

Ингредиенты:

- 4 куриных грудки;
- 1 зеленый болгарский перец;
- 1 красный болгарский перец;
- 1 луковица;
- 140 г побегов бамбука;
- 1 зубчик чеснока;
- 2 столовые ложки соевого соуса без сахара (например, Kikkoman);
- 2 чайные ложки свежего тертого имбиря;
- 2 веточки мяты;
- 2 веточки кориандра;
- пара капель оливкового масла;
- соль и перец.

Очистить и мелко нарезать лук и чеснок. Вымыть и нарезать листья мяты и веточки кинзы. Нарезать куриное филе тонкими полосками. Выложить его в глубокую тарелку, залить соевым соусом и добавить имбирь. Затем положить чеснок, кориандр и мяту. Накрыть блюдо алюминиевой фольгой и мариновать 2 часа в холодильнике. После чего достать из маринада кусочки курицы и отжать. Маринад отставить в сторону.

Вымыть перцы, удалить семена и порезать кубиками. Промыть побеги бамбука и нарезать соломкой. Обжарить куриные филе в течение 5 минут на слегка смазанной маслом сковороде. Посолить и поперчить. Добавить нарезанный лук и измельченный перец и жарить еще 4 минуты, затем залить маринадом и готовить еще 3 минуты. Добавить побеги бамбука и оставить на огне еще на 1 минуту.

Если не найдете побеги бамбука, то можно приготовить блюдо без них, оно тоже будет вкусным.

Курица Маренго 

Время подготовки: 30 минут.

Время приготовления: 55 минут.

Ингредиенты:

- 1 разделанная курица;
- 4 помидора;
- 2 луковицы;
- 2 луковицы-шалот;
- 1 зубчик чеснока;
- 200 мл воды;
- 2 столовые ложки уксуса;
- 1 столовая ложка томатной пасты без сахара;
- несколько веточек тимьяна;
- несколько лавровых листьев;
- 3 веточки петрушки;
- соль и перец.

Разрезать курицу и обжарить с солью и перцем до золотистого цвета в сотейнике с антипригарным покрытием, слегка смазанном маслом (на сильном огне). Снять с огня. Переложить курицу на тарелку. В сотейник выложить нарезанные кольца репчатого лука, лука-шалота, измельченный чеснок, все жарить на среднем огне около 2 минут. Залить овощи водой, уксусом и томатной пастой. Обдать кипятком помидоры, снять с них кожуру, нарезать кубиками и добавить их к овощам. Положить курицу обратно в сотейник. Добавить тимьян, лавровый лист и измельченную петрушку. Накрыть крышкой и держать на медленном огне 45 минут.

Курица с соусом из свежих трав ② ③ ④

Время подготовки: 30 минут.

Время приготовления: 40–45 минут.

Ингредиенты:

- 1 курица;
- 1 луковица;
- 1 морковь;
- 2 стебля лука-порея;
- веточка сельдерея;
- 1 пучок зелени;
- половина лимона;
- 1 зубчик чеснока;
- соль и перец.

Ингредиенты для соуса:

- 2 яичных желтка;
- 1 столовая ложка мягкого обезжиренного творога (0 %);
- 1 пучок зелени (зеленый лук, эстрагон, петрушка, кервель).

Вымыть курицу, натереть половинкой лимона и положить в кастрюлю. Лук и чеснок разрезать пополам, морковь на 4 части. Добавить в кастрюлю овощи, нарезанную зелень и чеснок. Налить холодную воду так, чтобы вода полностью покрывала курицу и была примерно на 2 см выше уровня курицы. Посыпать крупной солью. Довести до кипения, собрать с поверхности пену и варить на слабом огне 40–45 минут. В конце варки слить 150 мл бульона и поставить в теплое место.

Для приготовления соуса вылить желтки в маленькую кастрюлю, добавить столовую ложку холодной воды. Подготовить большую кастрюлю и поставить в нее маленькую кастрюлю с желтками, варить на водяной бане, помешивая венчиком до кремообразной консистенции. Добавить к желткам творог и перемешать. Вылить в желтки с творогом теплый бульон, не переставая помешивать. Посолить и поперчить. Подавать курицу с горячим соусом.

Куриный паштет с эстрагоном ② ③ ④

Время подготовки: 40 минут.
Время приготовления: 110 минут.

24 часа

Ингредиенты:

- 1 курица;
- 200 г куриной печени;
- 0,5 л постного куриного бульона;
- 2 листа желатина;
- 2 стебля лука-порея;
- 3 моркови;
- 2 зубчика чеснока;
- 1 луковица;
- 1 пучок эстрагона;
- уксус;
- соль и перец.

Это блюдо надо готовить заранее. Вымыть и очистить репчатый лук, лук-порей, морковь и чеснок. Положить курицу в кастрюлю, залить бульоном и добавить холодной воды, чтобы курица была полностью погружена в жидкость. Добавить подготовленные овощи, несколько веточек эстрагона, посолить и поперчить. Довести до кипения, накрыть крышкой и варить 90 минут на слабом огне, регулярно снимая накипь. В середине варки добавить очищенную куриную печень. Когда мясо и печень приготовятся, извлечь их из бульона и нарезать крупными кубиками.

Выпарить бульон, чтобы его количество уменьшилось в 2 раза. Процедить. Добавить в него замоченные заранее в холодной воде листья желатина.

На дно продолговатой формы для запекания положить листья эстрагона и залить тонким слоем желе. Когда желе немного застынет, положить слоями печень, кусочки курицы, морковь и снова курицу. Залить бульоном и поставить все на 24 часа в холодильник.

Куриные кексы ② ③ ④

Рецепт Виктории Соколовой (группа «Диета Дюкан» ВКонтакте)

Время подготовки: 10 минут.

Время приготовления: 50 минут.

Ингредиенты:

Содержит 1 допускаемый продукт

- 1 куриная грудка;
- 250 мл мягкого обезжиренного творога (0 %);
- 2 яичных белка;
- 2 столовые ложки овсяных отрубей;
- 2 столовые ложки пшеничных отрубей;
- 1 чайная ложка кукурузного крахмала;

- специи и зелень на выбор;
- 1 щепотка разрыхлителя;
- соль и перец.

Порезать куриную грудку. Взбить белки до образования густой пены. С помощью блендера довести все ингредиенты, кроме белков, до однородной массы, добавить к ним взбитые белки, аккуратно перемешать. Выложить в силиконовые формочки для кексов и запекать 45–50 минут в предварительно разогретой духовке при 180 °C (термостат 6). Подавать теплыми.

Лук-порей с ветчиной из индейки ② ③ ④

Время подготовки: 10 минут.
Время приготовления: 30 минут.

Ингредиенты:

- 800 г лука-порея (белая часть);
- 200 г ветчины из индейки;
- 90 г мягкого обезжиренного творога (0 %);
- 2 яйца;
- 1 луковица-шалот;
- пара капель оливкового масла;
- соль.

Нарезать тонкими кольцами лук-порей и варить 10 минут на пару. Ветчину и лук-шалот нарезать тонкой соломкой и обжарить на слегка смазанной маслом сковороде. Взбить яйца с творогом и солью. Смешать лук-порей с ветчиной и луком-шалотом. Положить смесь в жаропрочное, слегка смазанное маслом блюдо. Залить массой из яиц и творога. Выпекать 20 минут в духовке, нагретой до 150 °C (термостат 5).

Бедрышки индейки с перцами ② ③ ④

Время подготовки: 30 минут.
Время приготовления: 40 минут.
Ингредиенты:

- 2 бедрышка индейки;
- 3 красных перца;
- 2 столовые ложки мягкого обезжиренного творога (0 %);
- полстакана воды;
- 3 столовые ложки винного уксуса;
- соль и перец.

Подрумянить бедрышки в кастрюле с антипригарным покрытием, добавить воду и тушить под крышкой на слабом огне 40 минут, часто переворачивая. Опустить перцы в кипяток на несколько секунд, очистить от кожицы, удалить семена, порезать кубиками и измельчить блендером до однородного пюре. Достать бедрышки из кастрюли и развести винным уксусом образовавшийся соус. Добавить творог, пюре из перцев, посолить и поперчить, довести до кипения. Положить бедрышки в блюдо и залить получившимся соусом.

Котлеты из индейки ② ③ ④

Время подготовки: 20 минут.
Время приготовления: 25 минут.

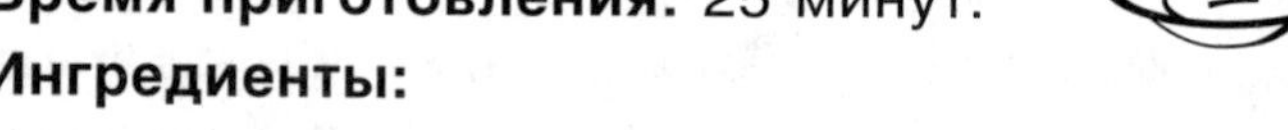

Ингредиенты:

Содержит 1 допускаемый продукт

- 4 куска индейки;
- 100 г мягкого обезжиренного творога (0 %);
- 1 чайная ложка кукурузного крахмала;

- 4 чайные ложки горчицы;
- 2 чайные ложки розового перца;
- 2 веточки тимьяна;
- соль и перец.

Разогреть духовку до 180 °С (термостат 6). Обжарить индейку в сковороде с антипригарным покрытием по 1 минуте с каждой стороны. Выложить мясо на тарелку. Смешать творог с кукурузным крахмалом и горчицей. Посолить, поперчить, добавить розовый перец.

Положить каждый кусок индейки на пергаментную бумагу размером 20×30 см, смазать соусом. Посыпать тимьяном. Свернуть в рулетики и несколько раз обернуть бумагой. Затем выложить на противень и поместить в духовку на 25 минут. Подавать горячими.

Зразы из индейки 

Время подготовки: 20 минут.

Время приготовления: 65 минут.

Ингредиенты:

- 4 куска постной ветчины (не более 4 % жирности);
- 4 эскалопа индейки;
- 100 г шампиньонов;
- 1 луковица;
- 1 пучок петрушки;
- 0,5 л постного куриного бульона;
- соль и перец.

Вымыть и очистить шампиньоны. Мелко порезать ножки шампиньонов, половину луковицы и петрушку. Пассеровать эту начинку 5–6 минут на среднем огне на сковороде с антипригарным покрытием. Посолить и поперчить. На каждый эскалоп положить по кусочку ветчины, затем пюре из шампиньонов, завернуть все и обвязать нитью. Подрумянить зразы на сковороде на среднем огне. Оставшийся лук порезать и добавить к зразам. Добавить бульон. Посолить и поперчить, если это необходимо. Тушить на слабом огне 45 минут. Добавить шляпки шампиньонов и тушить еще 20 минут.

Деревенский паштет ② ③ ④

Время подготовки: 20 минут.
Время приготовления: 60 минут.
Ингредиенты:

Содержит 1 допускаемый продукт

- 700 г рубленого мяса или фарша не более 5 % жирности;
- 12 филе индейки;
- 200 г куриной печени;
- 250 г постной ветчины (не более 4 % жирности);
- 1 луковица;
- 4 зубчика чеснока;
- 1 чайная ложка тимьяна;
- 1 чайная ложка душицы;
- 4 бутончика гвоздики;
- 1 столовая ложка красного портвейна;
- щепотка мускатного ореха;
- перец.

Пропустить через мясорубку индейку, печень, ветчину и лук. Положить в отдельное блюдо. Добавить фарш.

Раздавить зубчики чеснока, добавить к фаршу вместе с подогретым портвейном, перцем, мускатным орехом, зеленью и гвоздикой. Все тщательно перемешать. Выложить всю массу на дно жаропрочной формы, хорошо примяв ложкой. Накрыть крышкой и запекать 1 час в духовке, предварительно нагретой до 200 °C (термостат 6–7). Дать постоять 5 минут, слить лишнюю жидкость и остудить.

Летний паштет ② ③ ④

Время подготовки: 20 минут.

Время приготовления: 90 минут.

4 часа

Ингредиенты:

Содержит 1 допускаемый продукт

- 8 больших кусочков ветчины из курицы или индейки (не более 4 % жирности);
- 4 яйца;
- 300 г мягкого обезжиренного творога (0 %);
- 1 кг зеленой стручковой фасоли;
- 1 морковь;
- 1 веточка сельдерея;
- 1 луковица;
- 5 веточек эстрагона;
- половина чайной ложки орегано;
- 1 столовая ложка плавленого сыра 5 % жирности;
- соль и перец.

Промыть фасоль и отварить в бульоне 10 минут, не накрывая крышкой. Очистить и нарезать большими кубиками сельдерей, вымыть и очистить морковь и лук, также нарезать их большими кусочками. Измельчить блендером или комбайном сельдерей, морковку и очищенный лук.

Выложить полученную смесь в сотейник с антипригарным покрытием и потушить 10 минут на медленном огне. Просушить и порезать фасоль, выложить ее в сотейник вместе с остальными ингредиентами и готовить на слабом огне (время от времени помешивая), пока фасоль не прекратит выделять воду. Добавить нарезанный эстрагон и орегано.

Покрыть форму для выпечки (объем 2 л) бумагой, чтобы она выступала за края. Затем поместить по периметру всей формы 6 кусков ветчины так, чтобы их края выходили за пределы формы. Добавить к ветчине овощную начинку с фасолью. Разогреть духовку до 180 °С (термостат 6).

Взбить в миске яйца, творог и плавленый сыр. Посолить, поперчить и аккуратно вылить на овощную начинку с фасолью. Накрыть сверху другими кусочками ветчины, закрыть алюминиевой фольгой. Запекать 1 час на водяной бане. Охладить и поставить на четыре часа в холодильник.

Суфле с ветчиной ② ③ ④

Время подготовки: 15 минут.

Время приготовления: 45 минут.

Ингредиенты:

Содержит 1 допускаемый продукт

- 4 яйца;
- 400 г мягкого обезжиренного творога (0 %);
- 200 мл обезжиренного молока;
- 1 столовая ложка кукурузного крахмала;
- 200 г постной куриной ветчины (не более 4 % жирности);
- щепотка мускатного ореха;
- соль и перец.

Разогреть духовку до 220 °С (термостат 7). Смешать холодное молоко с кукурузным крахмалом. Отделить яичные желтки от белков. Взбить венчиком яичные желтки с творогом. Вылить на желтки молоко, постоянно помешивая, чтобы получилась однородная масса. Затем добавить порезанную ветчину. Приправить солью, перцем и мускатным орехом.

Взбить белки до образования густой пены и добавить в остальную массу. Приправить по вкусу. Вылить тесто в форму для выпечки. Выпекать 45 минут.

МЯСНЫЕ БЛЮДА

Говядина с овощами ② ③ ④

Время подготовки: 20 минут.
Время приготовления: 30 минут.

Ингредиенты:

- 250 г говяжьей вырезки;
- 1 л воды;
- 1 морковь;
- 1 стебель лука-порея (белая часть);
- 2 стебля сельдерея;
- 1 пучок зелени;
- половина луковицы;
- 1 бутончик гвоздики;
- соль, перец.

Очистить и вымыть морковь, лук-порей и сельдерей. Порезать овощи крупными кубиками. Сложить все в кастрюлю и залить водой. Добавить зелень, лук и гвоздику. Посолить и поперчить, довести до кипения, после чего положить мясо и варить под крышкой на среднем огне около 30 минут. Когда мясо станет мягким, достать его из бульона, нарезать на кусочки и положить на тарелку. Вареные овощи использовать как гарнир.

Говядина с баклажанами  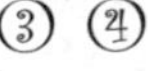

Время подготовки: 15 минут.
Время приготовления: 45 минут.

Ингредиенты:

- 500 г постной говядины;
- 300 г баклажанов;

- 400 г помидоров среднего размера;
- 1 зубчик чеснока;
- несколько веточек петрушки;
- 0,5 л воды;
- соль и перец.

Очистить баклажаны и порезать тонкими кольцами. Положить их на 15 минут в подсоленную воду, чтобы потеряли горечь. Слить воду, высушить баклажаны. Обдать кипятком помидоры, очистить от кожуры и порезать на четвертинки, положить в кастрюлю, посыпать мелко нарезанной петрушкой и измельченным чесноком. Довести до кипения и варить баклажаны и помидоры 30 минут на среднем огне.

Половину овощей положить на дно жаропрочного блюда. Приправить по вкусу. Мясо порезать на мелкие кусочки и выложить на овощи. Покрыть оставшимися баклажанами и помидорами. Поставить в духовку, предварительно нагретую до 210 °С (термостат 7), и запекать 15 минут.

Говядина с перцами ② ③ ④

Время подготовки: 20 минут.

Время приготовления: 30 минут.

1 час

Ингредиенты:

Содержит 1 допускаемый продукт

- 320 г говяжьей вырезки;
- 4 маленьких красных перца;
- 3 маленькие луковицы;
- 1 чайная ложка кукурузного крахмала;
- 6 столовых ложек соевого соуса без сахара (например, Kikkoman);
- 1 стакан воды;
- пара капель оливкового масла.

Мясо очистить от пленок и порезать тонкими полосками. Смешать кукурузный крахмал с 2 ложками соевого соуса и положить в этот маринад говядину. Поставить в холодильник на час.

Порезать перцы и лук тонкими полосками. Обжарить на слегка смазанной маслом сковороде. Добавить стакан воды и тушить на медленном огне 10 минут. Когда овощи станут мягкими, добавить мясо, 4 столовые ложки соевого соуса и немного воды, если это необходимо. Приправить по вкусу и тушить еще 20 минут.

Говядина по-бургундски ② ③ ④

Время подготовки: 10 минут.

Время приготовления: 130 минут.

Ингредиенты:

Содержит 1 допускаемый продукт

- 500 г постной говядины;
- 150 г шампиньонов;
- 250 мл горячего говяжьего постного бульона;
- 3 луковицы среднего размера;
- 1 чайная ложка кукурузного крахмала;
- несколько веточек петрушки;
- 1 зубчик чеснока;
- 1 лавровый лист;
- пара капель оливкового масла;
- соль и перец.

Мясо нарезать мелкими кубиками. В большой сковороде, смазанной каплей масла, обжарить говядину. Переложить мясо в жаропрочное блюдо.

В кастрюлю с горячим бульоном добавить кукурузный крахмал, мелко нарезанную петрушку и специи. Довести до кипения и варить, пока соус не загустеет.

Залить говядину соусом (добавить воды, если соус не закроет все мясо). Накрыть блюдо с говядиной и поставить в духовку, предварительно нагретую до 200 °C (термостат 6–7). Запекать 2 часа. Обжарить в сковороде с антипригарным покрытием лук и грибы на среднем огне. Добавить их к мясу за полчаса до окончания запекания.

Жареная говядина с овощами 

Время подготовки: 10 минут.  30 минут 

Время приготовления: 10 минут.

Ингредиенты:

Содержит 1 допускаемый продукт

- 500 г парной говядины;
- 1 зеленый перец;
- 2 моркови;
- 1 пучок белых луковиц;
- 1 столовая ложка кукурузного крахмала;
- 6 столовых ложек соевого соуса без сахара (например, Kikkoman);
- 1 столовая ложка белого винного уксуса;
- 2 чайные ложки жидкого сахарозаменителя;
- пара капель оливкового масла;
- соль и перец.

Очистить мясо от пленок и порезать на кусочки, затем положить в глубокое блюдо и полить соевым соусом, смешанным с уксусом и кукурузным крахмалом. Все тщательно перемешать и мариновать говядину в течение 30 минут в прохладном месте.

Поджарить мясо на сковороде на сильном огне около 1 минуты. Отложить в теплое место.

Вымыть и мелко нарезать луковицы. Разрезать перцы пополам, удалить семена и нарезать тонкими полосками. Очистить и нарезать морковь кружочками средней толщины. Обжарить овощи на слегка смазанной маслом сковороде с антипригарным покрытием.

Добавить на сковороду маринад, мясо, сахарозаменитель, специи. Разогреть, постоянно помешивая.

Говяжий шашлык Тюрглов 

Время подготовки: 20 минут.

Время приготовления: 15 минут.

Ингредиенты:

- 600 г постной говядины;
- 500 г помидоров;
- 200 г болгарского перца;
- 200 г лука;
- 1 зубчик чеснока;
- сок 1-го лимона;
- несколько веточек петрушки;
- пара капель оливкового масла;
- соль и перец.

Обдать кипятком и очистить помидоры от кожи, удалить семена и сделать пюре. Затем обжарить с измельченным чесноком на слегка смазанной маслом сковороде на медленном огне. Приправить по вкусу.

Мясо, перец и лук нарезать на куски. Насадить кусочки на шампуры и готовить около 10 минут в духовке или на гриле.

Перед подачей на стол снять мясо и овощи с шампуров, положить их на тарелки, полить лимонным соком, приправить. На каждую тарелку налить немного томатного пюре без сахара. При необходимости приправить. Посыпать измельченной зеленью петрушки.

Фаршированные грибы ② ③ ④

Время подготовки: 25 минут.

Время приготовления: 35 минут.

Ингредиенты:

- 400 г шампиньонов большого размера;
- 100 г шпината;
- 2 куска грудки индейки;
- 1 кусок постной ветчины (не более 4 % жирности);
- 3–4 столовые ложки обезжиренного молока;
- 1 столовая ложка овсяных отрубей;
- 1 лимон;
- 1 зубчик чеснока;
- несколько веточек петрушки;
- соль, перец.

Отварить шпинат в кипящей подсоленной воде в течение 10 минут. Вымыть грибы, отделить шляпки от ножек и полить лимонным соком. Измельчить чеснок, мелко порезать ветчину, грудки, петрушку, отжатый шпинат и ножки грибов. Смешать с отрубями и молоком. Посолить, поперчить, все хорошо перемешать. Заполнить шляпки грибов подготовленной начинкой и положить на противень или жаропрочное блюдо, покрытые пергаментной бумагой. Выпекать 20–25 минут в духовке, предварительно разогретой до 180 °C (термостат 6).

Фаршированные кабачки ② ③ ④

Время подготовки: 5 минут.

Время приготовления: 30 минут.

Ингредиенты:

- 500 г любого постного фарша;
- 200 г мягкого обезжиренного творога (0 %);
- 4 кабачка;
- 1 банка сальса верде[9];
- соль и перец.

Вымыть кабачки, разрезать вдоль на две части и удалить семена. Смешать мясо с соусом и творогом, посолить и поперчить. Заполнить кабачки начинкой. Выпекать 30 минут в предварительно разогретой до 240 °С духовке (термостат 8).

Слоеная запеканка из баклажанов по-критски ② ③ ④

Время подготовки: 20 минут.

Время приготовления: 30 минут.

Ингредиенты:

- 600 г говяжьего фарша;
- 400 г помидоров (можно консервированных);
- 200 г мягкого обезжиренного йогурта (0 %);
- 2 баклажана;
- 2 зубчика чеснока;

[9] Зеленый мексиканский томатный соус с острым перцем. — *Прим. ред.*

- 15 листьев мяты;
- пара капель оливкового масла;
- соль и перец.

Поджарить мясо на сковороде, добавить толченый чеснок, нарезанные листья мяты и измельченные помидоры. Накрыть крышкой и тушить на медленном огне 20 минут, изредка помешивая. Вымыть баклажаны, разрезать вдоль на плоские кусочки толщиной в 1 см. Поджарить их на среднем огне, на слегка смазанной маслом сковороде по 3 минуты с каждой стороны. Затем выложить их на бумажное полотенце, чтобы бумага впитала масло.

Добавить в мясо йогурт, перемешать, посолить и поперчить. Выложить баклажаны в форму для выпечки, сверху добавить мясо с соусом. Чередовать слои так, чтобы сверху оказался слой баклажанов. Поставить в духовку, предварительно нагретую до 200 °C (терсмостат 6–7), и выпекать 5 минут. Подавать прямо из духовки.

Пельмени ② ③ ④

Рецепт Виктории Соколовой (группа «Диета Дюкан» ВКонтакте)

Время подготовки: 40 минут.

Время приготовления: 10 минут.

Ингредиенты:

Содержит 1 допускаемый продукт

- 5 столовых ложек овсяных отрубей;
- 1 столовая ложка пшеничных отрубей;
- 4 столовые ложки кукурузного крахмала (1 ложка в тесто, 3 ложки для вымешивания теста);
- 1 яйцо;
- щепотка соли, перец.

Ингредиенты для начинки:

- 200 г постного говяжьего фарша;
- 1 маленькая луковица;
- специи по вкусу.

Приготовить фарш: смешать блендером все ингредиенты.

Взбить венчиком яйца. Приготовить тесто: измельчить отруби в кофемолке до состояния муки. Смешать полученную муку, кукурузный крахмал и соль с яйцами. Вымесить тесто, регулируя густоту кукурузным крахмалом. Дать постоять тесту 30 минут. Достать скалку, смазать ее кукурузным крахмалом. Раскатать тесто в очень тонкий пласт. Специальной выемкой, тонким стаканом или рюмкой вырезать кружочки. Положить немного фарша в самый центр теста. Согнуть кружок с фаршем пополам, защипнуть края, соединить два уголка вместе по желанию. Чтобы пельмени хорошо склеивались, можно смачивать тесто водой. Отваривать пельмени в подсоленной воде около 10 минут.

Рецепт рассчитан на 9 пельменей.

Ленивые голубцы ② ③ ④

Рецепт Кристины Самойловой (группа «Диета Дюкан» ВКонтакте)

Время подготовки: 20 минут.

Время приготовления: 20 минут.

Ингредиенты для голубцов:

Содержит 1 допускаемый продукт

- 500 г постного говяжьего фарша;
- 1 яйцо;
- 1 луковица;
- 1 небольшой кочан капусты;

- 2 столовые ложки овсяных отрубей;
- чеснок по вкусу;
- соль, перец.

Ингредиенты для соуса:

- 180 г мягкого обезжиренного творога (0 %);
- 3 столовые ложки томатной пасты без сахара;
- 1 столовая ложка кукурузного крахмала;
- соль, перец.

Для приготовления голубцов мелко порезать лук и капусту, добавить в фарш соль, перец, чеснок, овсяные отруби, яйцо. Хорошо перемешать. Сформовать небольшие котлетки.

Приготовить соус следующим образом: разогреть творог на медленном огне в небольшой кастрюле, добавить немного воды, томатную пасту. Приправить по вкусу. Регулировать консистенцию кукурузным крахмалом.

Выложить голубцы в сковороду и немного поджарить. Залить соусом и потушить на среднем огне 5–7 минут. Выложить в форму для выпечки и поставить в духовку, предварительно разогретую до 180 °C (термостат 6). Запекать 10–15 минут.

Восточные фрикадельки ② ③ ④

Время подготовки: 10 минут.

Время приготовления: 20 минут.

Ингредиенты:

Содержит 1 допускаемый продукт

- 500 г постного телячьего фарша;
- 1–2 стакана постного говяжьего бульона;
- 2 луковицы-шалот;

- 1 чайная ложка кукурузного крахмала;
- 2 больших зубчика чеснока;
- половина чайной ложки свежего тертого имбиря;
- 3 столовые ложки соевого соуса без сахара (например, Kikkoman);
- 2 столовые ложки хересного уксуса;
- пара капель оливкового масла;
- соль и перец.

Посолить и поперчить фарш, перемешать. Сформовать небольшие фрикадельки. Обжарить их с каждой стороны на сильном огне на слегка смазанной маслом сковороде с антипригарным покрытием. Отложить в сторону.

Мелко нарезать лук-шалот и чеснок. Залить стаканом бульона соус, образовавшийся после жарки мяса, и размешать. Добавить все остальные ингредиенты, кроме кукурузного крахмала. Тщательно перемешать, добавить фрикадельки. Долить бульон, чтобы фрикадельки были наполовину погружены в соус. Тушить 10 минут на среднем огне. Добавить растворенный в воде кукурузный крахмал, чтобы соус загустел.

Филе телятины в папильотках 

Время подготовки: 15 минут.

Время приготовления: 16 минут.

Ингредиенты:

- 4 филе телятины по 120 г;
- 1 луковица;
- 1 морковь;
- 1 белая часть лука-порея;

- 1 пучок зелени (петрушка, тимьян, зеленый лук);
- соль и перец.

Разогреть духовку до 180 °С (термостат 6). Вымыть овощи, почистить и мелко нарезать. Слегка обжарить их в сковороде, добавить 2 столовые ложки воды, посолить и поперчить. Накрыть крышкой и тушить на медленном огне 6 минут.

Подготовить 4 квадрата из алюминиевой фольги, выложить на них овощи, зелень и филе телятины. Завернуть. Поставить в духовку на 10 минут.

Тушеное мясо с кабачками ② ③ ④

Время подготовки: 20 минут.

Время приготовления: 25 минут.

Ингредиенты:

- 500 г постного говяжьего фарша;
- 1 кг кабачков;
- 400 г томатной пасты без сахара;
- 1 зубчик чеснока;
- 3 веточки петрушки;
- пара капель оливкового масла;
- соль и перец.

Вымыть кабачки, нарезать кольцами и готовить на пару 20 минут. Между тем обжарить мясо около 10 минут на слегка смазанной маслом сковороде с антипригарным покрытием. Добавить томатную пасту, чеснок, петрушку, посолить и поперчить. Тушить 5 минут. Смешать с кабачками.

Телячья голень по-ниццки ② ③ ④

Время подготовки: 30 минут.

Время приготовления: 105 минут.

Ингредиенты:

- 1 кг телячьей голени;
- 750 г крепких помидоров;
- 2 средние морковки;
- 2 средние луковицы;
- 1 зубчик чеснока;
- половина лимона;
- 1 пучок зелени;
- 1 столовая ложка томатной пасты без сахара;
- 1 стакан воды;
- соль и перец.

Снять с телячьей голени кожу. Отделить мясо от костей и порезать на куски. Очистить и вымыть морковь, лук, нарезать кольцами. Очистить и измельчить чеснок. Бланшировать помидоры, очистить от кожуры и нарезать крупными кусками. Вымыть лимон, разрезать половинку на четверти. Положить в кастрюлю с антипригарным покрытием лук и морковь, залить стаканом воды. Довести до кипения и добавить помидоры, чеснок, лимон и зелень (зелень резать не нужно). Снова довести до кипения. Аккуратно перемешать. Добавить мясо. Посолить и поперчить. Накрыть крышкой и тушить на медленном огне полтора часа (но не более 1 часа 45 минут). В конце варки достать из кастрюли зелень, добавить томатную пасту и при необходимости приправить. Достать мясо, разложить на тарелки, добавить овощи и залить соусом, образовавшимся в процессе тушения.

Оссобуко ② ③ ④

Время подготовки: 15 минут.

Время приготовления: 100 минут.

Ингредиенты:

- 1 кг телячьей голени;
- 0,5 л горячей воды;
- 1 кг моркови;
- 1 лимон;
- цедра 1 апельсина;
- 8 чайных ложек томатной пасты без сахара;
- щепотка орегано;
- соль и перец.

Снять с телячьей голени кожу. Отделить мясо от костей и порезать на куски. Запечь кусочки мяса в течение 7–8 минут в предварительно разогретой до 150 °C духовке (термостат 5) при включенном гриле. Вымыть, очистить и нарезать кружочками морковь. Положить ее в кастрюлю, добавить сок и цедру апельсина и лимона. Развести в воде томатную пасту и залить ею морковь. Добавить орегано, соль и перец. Положить в кастрюлю мясо. Тушить на медленном огне около 90 минут.

Телятина с паприкой ② ③ ④

Время подготовки: 20 минут.

Время приготовления: 40 минут.

Ингредиенты:

- 800 г телятины;
- 200 г мягкого обезжиренного творога (0 %);
- 2 моркови;

- 1 большой кабачок;
- 2 помидора;
- 1 большая луковица;
- 2 чайные ложки паприки;
- пара капель оливкового масла;
- соль и перец.

Промыть, высушить и нарезать кубиками телятину. Посолить и поперчить. Очистить и мелко нарезать лук. Обжарить до румяной корочки порезанное мясо на среднем огне на слегка смазанной маслом сковороде, затем продолжить жарить еще 10 минут, помешивая деревянной лопаточкой. Когда мясо подрумянится, добавить порезанный лук и паприку. Тщательно перемешать. Жарить на медленном огне, не накрывая крышкой, пока не выпарится сок, выделившийся во время жарки. Прикрыть крышкой и тушить на медленном огне еще 30 минут.

Очистить от кожуры морковь и кабачок. Нарезать морковь тонкой соломкой, а кабачок длинными полосками. Бланшировать помидоры и разрезать пополам. Нарезать мякоть маленькими кубиками. Готовить морковь, кабачки и помидоры на пару 15 минут.

Перед подачей добавить творог к овощам. Приправить по вкусу. Выложить телятину с паприкой на блюдо, вокруг положить овощи.

Мясной хлебец с грибами ② ③ ④

Время подготовки: 20 минут.

Время приготовления: 45–50 минут.

Ингредиенты:

- 400 г постной говядины;
- 400 г постной телятины;
- 150 г шампиньонов;

- 2 яйца;
- 1 луковица;
- 2 зубчика чеснока;
- несколько веточек тимьяна, розмарина и петрушки;
- пара капель оливкового масла;
- соль и перец.

Сделать фарш из говядины и телятины. Добавить в него яйца, измельченные лук и чеснок. Посолить и поперчить. Добавить промытую мелко порезанную зелень. В слегка смазанной маслом сковороде поджарить мелко нарезанные грибы, затем добавить их к остальным ингредиентам, хорошо перемешать. Положить мясную массу в форму для выпечки и поставить в духовку, предварительно нагретую до 240 °С (термостат 8). Запекать 45–50 минут.

Подавать горячим или холодным.

Говядина, ② ③ ④ тушенная с перцами

Время подготовки: 15 минут.

Время приготовления: 40 минут.

Ингредиенты:

Содержит 1 допускаемый продукт

- 450 г говядины;
- 0,5 л постного говяжьего бульона;
- 1 зеленый перец;
- 1 красный перец;
- 1 морковь;
- 1 репа;

- 1 столовая ложка кукурузного крахмала;
- 1 столовая ложка томатной пасты без сахара;
- половина луковицы;
- 1 зубчик чеснока;
- 2 столовые ложки воды;
- соль и перец.

Нарезать мясо кубиками. Пожарить куски говядины в кастрюле на сильном огне. Добавить нарезанный кубиками лук и толченый чеснок. Обжаривать еще 1 минуту, постоянно помешивая. Добавить томатную пасту и бульон. Посолить и поперчить. Довести до кипения и тушить 20 минут на медленном огне.

В это время вымыть перцы, разрезать пополам, удалить семена и порезать соломкой.

В кастрюлю с мясом добавить нарезанные овощи и тушить еще 5 минут. Добавить растворенный в 2 столовых ложках воды кукурузный крахмал, после чего потушить еще около 3 минут, изредка помешивая, пока соус не загустеет.

Жаркое из телятины 

Время подготовки: 15 минут.

Время приготовления: 50 минут.

Ингредиенты:

- 1 кг постной телятины, подходящей для жаркого;
- 2 средние моркови;
- 1 большая луковица;
- 20 маленьких белых молодых луковиц;
- 2 луковицы-шалот;

- 1 зубчик чеснока;
- пара капель оливкового масла;
- 1 стакан воды;
- 2 бутона гвоздики;
- соль и перец.

Разогреть духовку до 220 °C (термостат 7–8). Смазать жаропрочное блюдо маслом. Очистить и мелко порезать морковь, лук, чеснок и лук-шалот. Положить овощи на дно блюда. Выложить на овощи мясо. Посолить и поперчить. Залить стаканом воды. Выпекать телятину в горячей духовке 20 минут, пока она не подрумянится, в процессе приготовления поливать ее соком, выделившимся во время запекания. Извлечь мясо из духовки.

Пока мясо с овощами готовится, очистить и мелко порезать маленькие луковицы. В две луковицы воткнуть бутончики гвоздики и добавить весь лук в мясо. Выпекать еще около 30 минут в духовке при температуре 190 °C (термостат 5–6). Подавать в том же блюде.

Печень с помидорами ② ③ ④

Время подготовки: 10 минут.

Время приготовления: 20 минут.

Ингредиенты:

Содержит 1 допускаемый продукт

- 100 г телячьей печени;
- 1 большой помидор (или банка консервированных помидоров);
- 1 луковица среднего размера;
- 1 чайная ложка кукурузного крахмала;
- половина чайной ложки орегано или майорана;

- 1 пучок петрушки;
- пара капель оливкового масла;
- соль, перец.

Разделить печень на 3–4 тонких кусочка. Порезать лук тонкими кольцами. Разогреть слегка смазанную маслом сковороду с антипригарным покрытием и пассеровать на ней лук. Когда лук подрумянится, выложить его на тарелку и отложить в сторону. В этой же сковороде поджарить нарезанные помидоры, посыпать их орегано или майораном и снять с огня.

Обвалять печень в кукурузном крахмале, посолить и поперчить. Обжарить на среднем огне с каждой стороны. Выложить печень в центре подогретой тарелки, вокруг разместить помидоры и жареный лук. Посыпать мелко порезанной зеленью петрушки.

Хлебец из телятины 

Время подготовки: 10 минут.

Время приготовления: 60 минут.

Ингредиенты:

- 750 г фарша из телятины;
- 400 г моркови;
- 200 г шампиньонов;
- 1 луковица;
- 1 зубчик чеснока;
- 2 стакана обезжиренного йогурта (0 %).

Морковь натереть на терке. Измельчить и перемешать остальные ингредиенты. Положить в форму для выпечки. Поставить в духовку, предварительно нагретую до 180 °C (термостат 6), и запекать 1 час. Подавать можно как горячим, так и холодным.

Запеканка с цветной капустой ② ③ ④

Время подготовки: 10 минут.

Время приготовления: 60 минут.

Ингредиенты:

- 600 г говяжьего фарша;
- 1,2 кг цветной капусты;
- 1 луковица;
- 2 зубчика чеснока;
- 1 небольшой пучок петрушки;
- соль, перец.

Сварить на пару цветную капусту и сделать из нее пюре. Затем смешать фарш с мелко нарезанным луком, толченым чесноком, петрушкой, солью и перцем. Выложить мясо в жаропрочное блюдо, сверху положить пюре из цветной капусты. Выпекать 45 минут в духовке при температуре 180 °С (термостат 6).

Голубцы ② ③ ④

Рецепт Марии Дубининой (группа «Диета Дюкан» ВКонтакте)

Время подготовки: 10 минут.

Время приготовления: 50 минут.

Ингредиенты:

- 400 г говяжьего фарша;
- несколько листьев белой капусты;
- 2 моркови;
- 2 луковицы;
- соль и перец.

Вымыть и обдать кипятком капустные листья. Мелко порезать лук, натереть морковь на терке. Налить в сковороду с антипригарным покрытием немного воды, добавить лук и морковь и потушить 5–7 минут.

Смешать фарш с овощами, посолить, поперчить и завернуть в капустные листья.

Положить голубцы в кастрюлю и налить воды так, чтобы она покрывала голубцы наполовину. Готовить на медленном огне, под крышкой, около 40 минут.

Стейк из фарша по-венгерски ② ③ ④

Время подготовки: 15 минут.

Время приготовления: 15 минут.

Ингредиенты:

- 500 г мясного фарша (5 % жирности);
- 80 г мягкого обезжиренного творога (0 %);
- 100 мл томатного пюре без сахара;
- 6 маленьких молодых луковиц;
- 1 красный перец;
- 2 столовые ложки молотой паприки;
- половина лимона;
- щепотка кайенского перца;
- пара капель оливкового масла;
- соль и перец.

Очистить и мелко порезать лук. Вымыть перец, удалить сердцевину и семена, нарезать мелкими кубиками. Слегка смазать сковороду маслом и обжаривать на ней лук и красный перец 5 минут на медленном огне.

Убрать овощи со сковороды и обжарить в ней фарш в течение 5 минут на сильном огне, разминая его вилкой. Добавить в фарш паприку, томатную пасту, жареный лук и красный перец. Жарить на медленном огне около 2 минут, постоянно помешивая. Приправить по вкусу солью, черным и кайенским перцем.

Выжать сок из половины лимона и взбить с творогом. Снять сковороду с огня и добавить к мясу с овощами творог. Подогреть, не доводя до кипения, и сразу же подавать.

Кролик с эстрагоном ② ③ ④

Время подготовки: 20 минут.

Время приготовления: 40 минут.

Ингредиенты:

- 1 кролик;
- 500 г шампиньонов;
- 1 луковица-шалот;
- 2 столовые ложки мягкого обезжиренного творога (0 %);
- 10 веточек эстрагона;
- 2 чайные ложки измельченного чеснока;
- 1 веточка тимьяна;
- 1 лавровый лист;
- 2 столовые ложки малинового уксуса;
- 1 стакан воды;
- соль и перец.

Очистить грибы и оставить их целыми. Ополоснуть веточку эстрагона и оборвать листья. Кролика разделать, порезать небольшими кусочками. Кусочки кролика выложить в кастрюлю, залить водой и вскипятить. Добавить мелко нарезанные лук-шалот, чеснок, половину эстрагона, шампиньоны, тимьян и лавровый лист. Приправить уксусом по вкусу. Посолить, поперчить и хорошо перемешать. Тушить кролика 40 минут под крышкой. Когда мясо станет мягким, достать его из кастрюли. Выпарить немного соуса. Добавить творог и оставшийся эстрагон.

Кролик с грибами ② ③ ④

Время подготовки: 15 минут.
Время приготовления: 50 минут.
Ингредиенты:

- 400 г мяса кролика;
- 400 г свежих шампиньонов;
- половина луковицы;
- 2 столовые ложки мягкого обезжиренного творога (0 %);
- несколько веточек петрушки;
- полстакана воды;
- пара капель оливкового масла;
- соль, перец.

Мясо кролика нарезать небольшими кусочками. Подрумянить его на слегка смазанной маслом сковороде с антипригарным покрытием. Добавить порезанный кольцами лук и очищенные шампиньоны, порезанные на четверти. Подлить немного воды, посолить, поперчить и тушить 45 минут на слабом огне. В конце добавить 2 столовые ложки творога, тщательно перемешать. Подавать с мелко нарезанной зеленью.

Паштет из кролика ② ③ ④

Время подготовки: 15 минут.
Время приготовления: 140 минут.
Ингредиенты:

- 500 г мяса кролика;
- 4 куска постной ветчины (не более 4 % жирности);

- 1 белая луковица;
- 3 луковицы-шалот;
- 2 яйца;
- 2 веточки петрушки;
- листья салата;
- соль и перец.

Приготовить кролика на пару (20 минут), затем измельчить и смешать с мелко порезанными ветчиной, луком и луком-шалотом, чтобы получился фарш. К фаршу добавить взбитые венчиком яйца, нарезанную петрушку. Посолить и поперчить. Выложить в продолговатую форму для выпечки и выпекать 2 часа на водяной бане в духовке, нагретой до 180 °С (термостат 6). Подавать с салатными листьями.

Рулет с ветчиной и зеленью  

Время подготовки: 15 минут.

Время приготовления: 10 минут.

Ингредиенты:

- 4 куска постной куриной ветчины (не более 4 % жирности);
- 250 г мягкого обезжиренного творога (0 %);
- 1 яйцо;
- 50 г редиса;
- 50 г огурцов;
- половина помидора;
- 4 корнишона;
- 2 луковицы-шалот;
- 3–4 перышка зеленого лука;
- 3 веточки петрушки;
- щепотка эстрагона;
- соль и перец.

Сварить вкрутую яйцо. Мелко порезать редис, огурец, лук-шалот, зеленый лук, зелень петрушки и эстрагона. Смешать с творогом. Посолить и поперчить. Намазать ветчину полученной творожной массой, скатать в рулетики. Подавать, украсив ломтиками помидора, яйцом, нарезанным кружочками, и корнишонами.

Салат с йогуртовым зеленым соусом ② ③ ④

Время подготовки: 15 минут.

Время приготовления: 0 минут.

2 часа

Ингредиенты:

- 300 г шампиньонов;
- 4 куска постной куриной ветчины с зеленью (не более 4 % жирности);
- 125 г мягкого обезжиренного йогурта (0 %);
- 4 больших корнишона;
- 1 пучок редиски;
- 1 чайная ложка горчицы;
- 1 зубчик чеснока;
- несколько перышек зеленого лука;
- несколько веточек петрушки;
- соль и перец.

Вымыть шампиньоны и редис и нарезать их мелкими кубиками. Нарезать также кубиками ветчину, корнишоны — кружочками, и добавить их к грибам и редису. Подготовить соус: смешать йогурт с толченым чесноком, горчицей, мелко нарезанными петрушкой, зеленым луком, посолить и поперчить. Залить салат соусом и хорошо перемешать, поставить в холодильник, подавать холодным.

БЛЮДА ИЗ ЯИЦ

Яйца вкрутую с карри ① ② ③ ④

Время подготовки: 10 минут.
Время приготовления: 10 минут.
Ингредиенты:

Содержит 1 допускаемый продукт

- 2 яйца;
- половина луковицы;
- 8 столовых ложек обезжиренного молока;
- щепотка кукурузного крахмала;
- 1 чайная ложка порошка карри;
- соль и перец.

Пассеровать в кастрюле на среднем огне мелко нарезанный лук с половиной молока, постоянно помешивая. Добавить щепотку кукурузного крахмала и оставшееся молоко, тщательно перемешать, добавить соль, перец, порошок карри. Сваренные вкрутую яйца нарезать кружочками. Выложить на тарелку, полить соусом.

Кабачковый блинчик ② ③ ④

Время подготовки: 15 минут.
Время приготовления: 4–5 минут.
Ингредиенты:

- 6 белков;
- 6 кабачков;
- 1 зубчик чеснока;
- несколько веточек петрушки;
- пара капель оливкового масла;
- соль, перец.

Взбить белки до образования густой пены. Вымыть, очистить и измельчить кабачки. Перемешать их с толченым чесноком, мелко нарезанной петрушкой. Посолить и поперчить. Аккуратно добавить белок. Готовить на смазанной маслом сковородке как обычные блинчики.

Эндивий по-царски ② ③ ④

Время подготовки: 15 минут.

Время приготовления: 10–15 минут.

Ингредиенты:

- 1 кг эндивия (цикория);
- 2 яйца;
- 150 мл обезжиренного молока;
- щепотка мускатного ореха;
- 1 л воды;
- соль и перец.

Очистить эндивий, обрезать кончики и варить 2 минуты в кипящей подсоленной воде. Тщательно отжать. Взбить в миске яйца с обезжиренным молоком, приправить солью, перцем и молотым мускатным орехом.

Выложить эндивий в жаропрочное блюдо и залить его взбитыми яйцами. Поставить в духовку, разогретую до 150 °С (термостат 5), и выпекать, пока яйца не подрумянятся.

Провансальский овощной флан ② ③ ④

Время подготовки: 15 минут.

Время приготовления: 50 минут.

Ингредиенты:

Содержит 1 допускаемый продукт

- 500 г кабачков;
- 2 красных перца;

- 4 помидора;
- 1 луковица;
- 4 яйца;
- 4 столовые ложки обезжиренного молока;
- 1 столовая ложка плавленого сыра 5 % жирности (можно заменить протертым обезжиренным творогом (0%);
- соль и перец.

Вымыть и порезать на маленькие кусочки кабачки, не очищая от кожуры. Вымыть перец, удалить семена, порезать кубиками. Помидоры порезать кубиками. Очистить и мелко нарезать лук.

Разогреть духовку до 200 °С (термостат 6–7). Обжаривать все овощи 20 минут в сковородке на сильном огне. Посолить и поперчить по вкусу.

Взбить венчиком яйца, добавить в них молоко и плавленый сыр. Посолить и поперчить, если нужно. Добавить яйца в овощи, хорошо перемешать и вылить в форму для выпечки с антипригарным покрытием. Выпекать 30 минут на водяной бане.

Омлет с тунцом ② ③ ④

Время подготовки: 10 минут.

Время приготовления: 20 минут.

Ингредиенты:

- 3 маленьких кабачка;
- 1 белая луковица;
- 6 яиц;
- 1 банка тунца в собственном соку;

- 2 столовые ложки бальзамического уксуса;
- соль и перец.

Вымыть и нарезать кубиками кабачки. Очистить и мелко нарезать лук. Сварить на пару кабачки и лук, добавить соль и перец.

Взбить венчиком яйца, добавить тунец, соль и перец. Затем — кабачки и лук. Вылить омлет в сковородку, перемешать и накрыть крышкой. Готовить 10 минут на медленном огне. Охладить, разрезать на кусочки и полить бальзамическим уксусом.

Яйца по-лотарингски 

Время подготовки: 10 минут.

Время приготовления: 40 минут.

Ингредиенты:

- 4 яйца;
- 6 помидоров;
- 0,5 л обезжиренного молока;
- несколько листьев базилика;
- щепотка мускатного ореха;
- соль и перец.

Разогреть духовку до 180 °С (термостат 6). Взбить яйца с молоком, добавить соль, перец и мускатный орех. Вылить в форму и выпекать на водяной бане 40 минут. Обдать помидоры кипятком, снять кожуру и приготовить пюре из помидоров с помощью блендера или потушив немного на сковороде, а затем протерев через сито. Когда омлет будет готов, полить томатным пюре, посыпать измельченным базиликом. Подавать теплыми.

Хлеб с кабачками и ветчиной ② ③ ④

Время подготовки: 25 минут.

Время приготовления: 15 минут.

Ингредиенты:

Содержит 2 допускаемых продукта

- 100 г постной ветчины (не более 4 % жирности);
- 500 г кабачков;
- 4 яйца;
- 1 столовая ложка кукурузного крахмала;
- 50 г мягкого обезжиренного творога (0 %);
- 4 столовые ложки обезжиренного молока;
- 1 столовая ложка плавленого сыра 5 % жирности;
- щепотка мускатного ореха;
- немного холодной воды;
- соль и перец.

Пропустить ветчину через мясорубку до однородной массы.

Вымыть, очистить и нарезать тонкими кольцами кабачки. Затем положить их в блюдо, которое подходит для микроволновой печи, налить немного воды и готовить 5 минут на максимальной мощности. Высушить приготовленные кабачки и смешать их с яйцами, ветчиной, творогом и сыром. Добавить щепотку мускатного ореха, соль и перец. Растворить в небольшом количестве воды кукурузный крахмал, затем влить смесь в теплое молоко. Добавить крахмал к остальным ингредиентам.

Вылить смесь в форму для выпечки, выложенную бумагой, и накрыть пищевой пленкой. Поставить в микроволновую печь и готовить 15 минут на средней мощности.

Мусс из жареных баклажанов ② ③ ④

Время подготовки: 20 минут.

Время приготовления: 35 минут.

Ингредиенты:

- 400 г баклажанов;
- 3 яйца;
- 200 мл обезжиренного молока;
- щепотка мускатного ореха;
- несколько веточек тимьяна;
- несколько веточек розмарина;
- соль и перец.

Вымыть и очистить баклажаны, затем нарезать толстыми кубиками и положить в дуршлаг. Посолить и оставить на несколько минут, чтобы стек выделившийся сок. Бланшировать на сковороде 5 минут, затем слить воду. Разогреть духовку до 150 °С (термостат 5). Взбить венчиком яйца, посолить и поперчить. Тщательно перемешать с молоком. Добавить немного тертого мускатного ореха, посыпать тимьяном и розмарином. Кусочки баклажанов выложить в жаропрочное блюдо, залить яично-молочной массой. Запекать 30 минут.

Ленточки омлета с анчоусами ② ③ ④

Время подготовки: 15 минут.

Время приготовления: 10 минут.

Ингредиенты:

- 8 яиц;
- 3 свежих помидора;
- 8 анчоусов (без соли);

- 2 столовые ложки обезжиренного молока;
- 6 вяленых помидоров;
- 1 столовая ложка измельченных каперсов;
- 10 перышек зеленого лука;
- 5 веточек кинзы;
- 5 веточек петрушки;
- перец по вкусу.

Помыть свежие помидоры и разрезать на четверти. Слегка обжарить их с анчоусами и каперсами на среднем огне на сковородке с антипригарным покрытием (около 5 минут). Вымыть и мелко нарезать свежую зелень.

Взбить венчиком яйца, добавить молоко и зелень, поперчить. Из яиц приготовить 2 больших, достаточно тонких омлета (около 5 мм толщиной), охладить и нарезать полосками шириной 2 см.

Выложить ленточки омлета на тарелки и залить их томатным пюре с анчоусами.

Добавить вяленые помидоры. Все перемешать.

Суфле из шампиньонов ② ③ ④

Время подготовки: 15 минут.

Время приготовления: 12 минут.

Ингредиенты:

- 150 г шампиньонов;
- 3 столовые ложки мягкого обезжиренного творога (0 %);

- 1 целое яйцо;
- 1 яичный белок;
- соль и перец.

Разогреть духовку до 180 °C (термостат 6). Погрузить шампиньоны на 2 минуты в кастрюлю с кипящей водой, затем слить воду и измельчить грибы блендером. Полученное пюре смешать с яичным желтком, творогом и 2 взбитыми яичными белками. Посолить, поперчить и вылить в маленькие формочки. Запекать около 10 минут.

Овощной пирог 

Время подготовки: 15 минут.

Время приготовления: 40 минут.

Ингредиенты:

- 1 маленький красный перец;
- 1 кабачок;
- 4 больших шампиньона;
- 1 небольшая луковица;
- 3 яйца;
- 700 мл обезжиренного молока;
- 1 пакетик сухих дрожжей;
- соль, перец.

Разогреть духовку до 230 °C (термостат 7). Тщательно промыть и нарезать мелкими кубиками перец, кабачки и шампиньоны. Смешать в миске яйца, молоко и дрожжи. Посолить и поперчить. Добавить в эту смесь все овощи. Вылить тесто в подготовленные заранее формы с антипригарным покрытием и запекать около 40 минут.

Фаршированные помидоры ② ③ ④

Время подготовки: 15 минут.

Время приготовления: 25–30 минут.

Ингредиенты:

- 8 свежих помидоров;
- 4 яйца;
- 200 г постной ветчины (не более 4 % жирности);
- несколько листьев свежего базилика;
- соль и перец.

Разогреть духовку до 220 °С (термостат 7–8). Вымыть помидоры, удалить семена, посолить и оставить, чтобы дали сок. Взбить венчиком яйца, посолить и поперчить, добавить ветчину, нарезанную тонкими полосками, и нарезанный базилик. Заполнить получившейся смесью помидоры. Положить их в жаропрочное блюдо и запекать 25–30 минут.

БЛЮДА ИЗ РЫБЫ И МОРЕПРОДУКТОВ

Огурцы, фаршированные тунцом ② ③ ④

Время подготовки: 15 минут.

Время приготовления: 0 минут.

Ингредиенты:

- 1 банка тунца в собственном соку (120 г);
- 1 огурец;
- 4 чайные ложки майонеза «Дюкан» (см. стр. 279);
- соль и перец.

Вымыть и очистить от кожи огурец. Разрезать его пополам, надрезать каждую часть по длине и удалить семена, оставив мякоти по 1 см с каждой стороны. Смешать в миске измельченный тунец с майонезом, посолить и поперчить. Выложить начинку на огурцы.

Тунец с тремя перцами ② ③ ④

Время подготовки: 20 минут.

20 минут

Время приготовления: 25 минут.

Ингредиенты:

- 700 г тунца;
- 1 красный перец;
- 1 желтый перец;
- 1 зеленый перец;
- 1–2 лимона;
- 2 зубчика чеснока;
- пара капель оливкового масла;
- соль.

Вымыть перцы, разрезать пополам и удалить семена. Поставить их на 5 минут в духовку с включенным грилем. Достать перцы из духовки и порезать их тонкими полосками. Обжарить несколько минут на среднем огне на слегка смазанной маслом сковороде.

Тунца посолить и поперчить, 20 минут готовить на пару. Смешать лимонный сок, толченый чеснок и перцы. Когда тунец будет готов, охладить его, добавить перцы и лимонный маринад, мариновать 2–3 часа в холодильнике, часто переворачивая. Подавать холодным.

Закуска-крем ② ③ ④ из творога с тунцом

Рецепт Натальи Шевцовой (группа «Диета Дюкан» ВКонтакте)

Время подготовки: 15 минут.

Время приготовления: 0 минут.

Ингредиенты:

- 200 г мягкого обезжиренного творога (0 %);
- 150 г тунца в собственном соку;
- 1 маленькая луковица;
- 1 маленькая морковка;
- 1 чайная ложка мягкой горчицы.

Тщательно слить сок с тунца. Выложить в миску тунец, творог, измельченную луковицу, тертую морковь и горчицу. Перемешать блендером для получения однородной массы. Крем готов. Поставить крем в холодильник на некоторое время.

Приготовить хлеб по рецепту доктора Дюкана (см. стр. 229) и намазать сверху кремом.

Помидоры с тунцом и каперсами ② ③ ④

Время подготовки: 20 минут.

Время приготовления: 0 минут.

Ингредиенты:

- 1 банка тунца в собственном соку;
- 2 столовые ложки лососевой икры;
- 100 г мягкого обезжиренного творога (0 %);
- 8 помидоров;
- 1 столовая ложка лимонного сока;
- половина чайной ложки кайенского перца;
- 2 столовые ложки каперсов;
- несколько перышек зеленого лука;
- соль и перец.

Бланшировать помидоры, очистить от кожицы. Отрезать верхушку, отложить. Извлечь мякоть из помидоров, посолить и отставить в сторону.

Для получения начинки смешать тунец с творогом, каперсами, зеленым луком и лимонным соком. Поперчить и наполнить начинкой помидоры. Украсить икрой и посыпать перцем. Прикрыть отрезанными ранее верхушками.

Пирог с тунцом и томатом ② ③ ④

Время подготовки: 15 минут.

Время приготовления: 30 минут.

Ингредиенты:

- 1 банка тунца в собственном соку;
- 2 столовые ложки мягкого обезжиренного творога (0 %);
- 2 небольших помидора;

- 2 целых яйца;
- 2 яичных белка;
- четверть чайной ложки прованских трав;
- соль и перец.

Приготовить омлет из двух яиц. Обдать кипятком помидоры, снять кожуру и мелко их порезать, размять тунец, добавить к ним обезжиренный творог и травы. Смешать все ингредиенты, посолить, поперчить и положить в жаропрочное блюдо. Выпекать 20–25 минут при температуре 180 °C (термостат 6).

Мусс из брокколи ② ③ ④ с крабовыми палочками

Время подготовки: 15 минут.

Время приготовления: 10 минут.

4 часа

Ингредиенты:

- 280 г крабовых палочек;
- 1 кг брокколи;
- 6 листов желатина;
- 1 банка томатной пасты без сахара (100 г);
- 12 чайных ложек мягкого обезжиренного творога (0 %);
- несколько листьев базилика;
- 1 зубчик чеснока;
- 1 стакан воды;
- соль и перец.

Растворить желатин в холодной воде.

Приготовить пюре из брокколи. Затем добавить к нему творог, немного холодной воды и нарезанные крабовые палочки. Посолить и поперчить. Выложить пюре в формочки, покрытые бумагой для выпечки. Поставить мусс в холодильник минимум на 4 часа, чтобы он застыл.

Смешать томатную пасту с измельченным базиликом, толченым чесноком, солью и перцем. Отложить в сторону. Достать мусс из формочек, разложить по тарелкам, добавить томатное пюре.

Диетическая закуска ② ③ ④

Время подготовки: 30 минут.

Время приготовления: 0 минут.

Ингредиенты:

- 200 г крабовых палочек;
- 200 г креветок;
- 1 огурец;
- 3 моркови;
- 1 пучок редиски;
- несколько веточек сельдерея;
- 1 клубень фенхеля.

Ингредиенты для соуса:

- 250 г мягкого обезжиренного творога (0 %);
- несколько листьев базилика;
- несколько веточек эстрагона;
- несколько веточек петрушки;
- соль, перец.

Овощи помыть, очистить и нарезать соломкой. Очистить креветки. Тщательно перемешать ингредиенты для соуса. Выложить овощи на тарелку и подавать с соусом.

Огуречный ролл ② ③ ④ с креветками

Время подготовки: 10 минут.

Время приготовления: 10 минут.

Ингредиенты:

- 100 г вареных очищенных креветок;
- 100 г мягкого обезжиренного творога (0 %);
- 2 яйца;
- половина огурца;
- 5 длинных перышек зеленого лука;
- несколько капель табаско;
- соль и перец.

Сварить вкрутую яйца, остудить. Размять вилкой вареные яйца, добавить к ним креветки, творог и соус табаско. Посолить, поперчить и отставить в сторону. Разрезать огурец вдоль тонкими полосками, очистить от семян. Смазать огурец начинкой из креветок, посыпать зеленым луком. Свернуть огурец в ролл, выложить на тарелку, подавать холодным.

Креветки с помидорами ② ③ ④

Время подготовки: 15 минут.

Время приготовления: 10 минут.

Ингредиенты:

- 600 г вареных очищенных креветок;
- 500 г томатов;
- 2 яйца.

Ингредиенты для соуса:

- 2 яйца;
- 1 чайная ложка горчицы;
- 1 столовая ложка лимонного сока;
- 100 г обезжиренного йогурта (0 %);
- соль и перец.

Сварить все яйца (в т.ч. и для соуса) вкрутую, остудить. Помыть помидоры и аккуратно удалить мякоть. Слегка посолить и отложить в сторону. Смешать креветки с 2 размятыми вилкой яйцами. Заполнить помидоры начинкой.

Подготовить соус: смешать размятые вилкой яичные желтки с чайной ложкой горчицы. Добавить к желткам лимонный сок, посолить, поперчить и медленно, постоянно помешивая, смешать с йогуртом. Полить фаршированные помидоры получившимся соусом.

Креветки с чесночным соусом по-мексикански ② ③ ④

Время подготовки: 10 минут.

Время приготовления: 3 минуты.

Ингредиенты:

- 32 креветки;
- 4 помидора;
- 1 острый зеленый перец;
- 1 лайм;
- 1 зубчик чеснока;
- несколько веточек кинзы;
- соль.

Бланшировать помидоры, удалить семена и нарезать кубиками. Удалить семена из перца и нарезать кубиками. Смешать перец и помидоры. Добавить мелко нарезанную кинзу, сок лайма, измельченный чеснок, соль. Готовить креветки на пару 2–3 минуты. Смешать их с соусом.

Креветочный салат ② ③ ④

Время подготовки: 5 минут.
Время приготовления: 15 минут.
Ингредиенты:

- 200 г розовых креветок;
- 4 яйца;
- 600 г листьев салата;
- 4 чайные ложки вазелинового масла;
- 4 чайные ложки винного уксуса;
- несколько веточек эстрагона;
- соль, перец.

Сварить и очистить креветки. Промыть и высушить салатные листья, порезать или поломать их на кусочки. Подготовить уксусный соус (смешать вазелиновое масло и уксус). Перемешать салат с листьями эстрагона и очищенными креветками. Залить соусом. Сварить яйца вкрутую, очистить и еще горячими положить в салат.

Сандвич из семги ② ③ ④

Рецепт Ольги Александровой (группа «Диета Дюкан» ВКонтакте)

Время подготовки: 10 минут.
Время приготовления: 4 минуты.
Ингредиенты для хлеба:

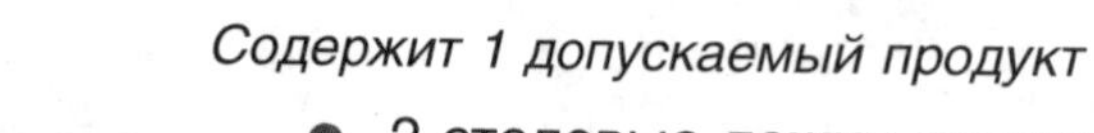
Содержит 1 допускаемый продукт

- 2 столовые ложки овсяных отрубей;

- 1 столовая ложка пшеничных отрубей;
- 1 столовая ложка мягкого обезжиренного творога (0 %);
- 1 яйцо;
- 1 чайная ложка сухих дрожжей.

Ингредиенты для начинки:

- 200 г копченого лосося;
- 1 средний огурец;
- 1 помидор;
- несколько салатных листьев;
- 50 г плавленого сыра жирностью 0 %.

Смешать блендером пшеничные и овсяные отруби, творог, дрожжи и яйцо. Выложить смесь тонким слоем в плоскую емкость и выпекать 4 минуты в микроволновой печи на максимальной мощности. Отделить хлеб от блюда, дать немного остыть и нарезать на 6 тонких овальных хлебцев. Обжарить хлебцы в тостере. Намазать два хлебца сыром, положить сверху 50 г копченого лосося и тонко нарезанный огурчик. Накрыть каждый бутерброд хлебцем, добавить лосось, огурец и прикрыть оставшимся хлебом. Должно получиться 2 сандвича. Подавать с салатными листьями и помидорами. По этому принципу можно сделать гамбургеры с добавлением мяса жирностью 5 %.

Норвежский блинчик 

Время подготовки: 15 минут.

Время приготовления: 10 минут.

Содержит 1 допускаемый продукт

Начинка для блинчика:

- 100 г копченой семги.

Ингредиенты для теста:

- 1 столовая ложка пшеничных отрубей;
- 2 столовые ложки овсяных отрубей;
- 5 столовых ложек обезжиренного молока;
- 1 яйцо;
- пара капель оливкового масла.

Ингредиенты для соуса:

- 100 г тертых крабовых палочек;
- 100 мл обезжиренного молока;
- пол столовой ложки кукурузного крахмала;
- зелень (укроп) по вкусу;
- соль, перец.

Подготовка соуса: смешать молоко с кукурузным крахмалом. Подогревать несколько минут на слабом огне, помешивая, до сгущения. Добавить соль, перец и зелень, тертые крабовые палочки, все перемешать.

Блинчик: смешать в миске пшеничные и овсяные отруби, молоко и яйцо. Смазать сковородку капелькой масла и растереть бумажным полотенцем. Жарить как тонкий блинчик с двух сторон.

Положить блинчик в тарелку, смело смазать соусом, затем добавить нарезанную копченую семгу и загнуть края блинчика.

Крабовый флан ② ③ ④

Время подготовки: 10 минут.

Время приготовления: 45 минут.

Ингредиенты:

Содержит 1 допускаемый продукт

- 200 г копченого лосося;
- 200 г крабового мяса;

- 350 мл обезжиренного молока;
- 2 яйца;
- 1 столовая ложка кукурузного крахмала;
- 1 кубик рыбного бульона;
- соль и перец.

Выложить кусочки лосося в форму (или несколько формочек) для выпечки. Взбить яйца с молоком и кукурузным крахмалом, добавить крабовое мясо. Посолить и поперчить, добавить рыбный бульон. Поставить в духовку, предварительно нагретую до 180 °C (термостат 6), и запекать 45 минут на водяной бане.

«Кудрявый» салат с лососем ② ③ ④

Время подготовки: 10 минут.

Время приготовления: 0 минут.

Ингредиенты:

- 60 г копченого лосося;
- несколько листьев эндивия (цикория);
- 1 столовая ложка лососевой икры;
- уксусный соус[10];
- 1 лимон;
- несколько веточек укропа;
- соль и перец.

Вымыть, высушить и порезать салат. Нарезать лосось полосками. Положить в салатницу салат, лосось и укроп. Полить соусом, приправить соком лимона, солью и перцем. Украсить икрой.

[10] Уксусный соус можно приготовить самостоятельно, смешав немного растительного масла, уксуса 3 %, смесь мелко нарезанной зелени, черный молотый перец. — *Прим. ред.*

Роллы с лососем ② ③ ④

Время подготовки: 20 минут.

Время приготовления: 20 минут.

Ингредиенты:

- 8 кусков копченого лосося;
- 60 г обезжиренного сыра (можно заменить протертым обезжиренным творогом (0 %);
- 125 г мягкого обезжиренного творога (0 %);
- 2 банки пальмито[11] (можно заменить солеными огурцами);
- четверть чайной ложки прованских трав;
- 1 капля малинового уксуса;
- соль и перец.

Пальмовые сердца достать из банок, развернуть и завернуть в них куски копченого лосося. Смешать сыр с творогом, травами, уксусом, солью и перцем. Выложить в жаропрочное блюдо половину получившейся массы, затем положить роллы с лососем и накрыть их оставшейся массой. Выпекать 20 минут в разогретой до 150 °С духовке (термостат 5).

Паштет из копченого лосося ② ③ ④ с огурцом

Время подготовки: 15 минут.

1 час

Время приготовления: 0 минут.

Ингредиенты:

- 200 г копченого лосося;
- 200 г мягкого обезжиренного творога (0 %);

[11] Пальмито (пальмовые сердца) — молоденькие отросточки пальмы. — *Прим. ред.*

- 1 огурец;
- 1 маленький пучок зеленого лука;
- соль и перец.

Очистить и разрезать огурец вдоль на две части. Удалить семена, порезать мелкими кубиками, посолить. Накрыть пищевой пленкой и поставить в холодильник на 30 минут. Измельчить копченый лосось. Мелко порезать зеленый лук и смешать с лососем. Поперчить (не солить, так как копченый лосось уже соленый).

Несколько раз промыть огурец от соли, дать стечь воде и добавить вместе с творогом в смесь лосося с зеленым луком. Приправить по вкусу и поставить в холодильник минимум на 30 минут.

Холодный паштет 

Время подготовки: 40 минут.

Время приготовления: 55 минут.

Ингредиенты:

- 450 г филе лосося без кожи;
- 600 г клубней фенхеля;
- 150 г мягкого обезжиренного творога (0 %);
- 2 яичных белка;
- несколько веточек укропа;
- щепотка порошка карри;
- соль и перец.

Очистить и нарезать кубиками фенхель, варить его 10 минут на пару. 300 г лосося нарезать толстыми кубиками, остальное — тонкими полосками. Когда фенхель сварится, откинуть на дуршлаг или сито и измельчить блендером до однородной массы. Отложить в сторону 3 столовые ложки пюре из фенхеля.

К остальному пюре добавить творог, соль, перец, щепотку порошка карри и 1 яичный белок. Все ингредиенты тщательно перемешать.

Довести с помощью блендера до однородной смеси кубики лосося с 3 столовыми ложками пюре из фенхеля и оставшимся яичным белком и приправами.

Разогреть духовку до 180 °С (термостат 6). Выложить форму пергаментной бумагой для выпечки. Вылить в нее половину пюре с лососем и посыпать половиной укропа. Накрыть третьей частью пюре из фенхеля и половиной полосок лосося. Опять вылить часть пюре из фенхеля и выложить слой из полосок лосося. Полить оставшимся пюре из фенхеля. Посыпать остальным укропом и в самом конце добавить последний слой пюре с лососем. Накрыть крышкой и запекать на водяной бане 45 минут.

Нежный лососевый тимбаль  

Время подготовки: 20 минут.

Время приготовления: 10 минут.

2 часа

Ингредиенты:

- 4 маленьких филе лосося;
- 1 кусок копченого лосося;
- 50 г красной икры;
- 8 листов желатина;
- 250 мл рыбного бульона;
- 4 веточки свежего укропа.

Замочить в холодной воде желатин. Поставить в холодильник 4 большие чашки (вазочки).

Сварить на пару кусочки лосося (5 минут). Довести бульон до кипения и испарять в течение 5 минут на сильном огне. Снять бульон с огня и добавить к нему половину желатина, замоченного ранее в холодной воде. На дно каждой чашки налить немного охлажденного бульона, добавить веточку укропа, икру, вареные кусочки лосося и полоски копченого лосося. Залить остальным желатином и поставить в холодильник на 2 часа.

Достать желе из чашек, украсить икрой и подавать с салатом.

Рулет из копченого лосося ② ③ ④

Время подготовки: 10 минут.

3 часа

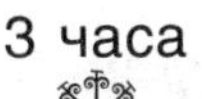

Время приготовления: 4 минуты на каждый омлет.

Ингредиенты:

Содержит 1 допускаемый продукт

- 100 г копченого лосося;
- 250 г мягкого обезжиренного творога (0 %);
- 3 яйца;
- 1 столовая ложка тертого имбиря;
- 3 столовые ложки воды;
- 3 чайные ложки кукурузного крахмала;
- несколько веточек петрушки;
- несколько перышек зеленого лука;
- черный перец.

Смешать 1 яйцо, 1 столовую ложку воды, 1 чайную ложку кукурузного крахмала. Приготовить тонкий омлет. Повторить это с остальными яйцами, водой и крахмалом. Каждый омлет смазать творогом, посыпать мелко нарезанным зеленым луком и имбирем, положить на него слой лосося, поперчить. Каждый омлет свернуть рулетом и завернуть в алюминиевую фольгу. Поставить в холодильник на 3 часа. Снять фольгу, разрезать рулеты на части и подавать на тарелке, украшенной веточками петрушки.

Запеканка из брокколи и лосося ②③④

Время подготовки: 15 минут.

Время приготовления: 35 минут.

Ингредиенты:

- 2 банки лосося в собственном соку (по 180 г);
- 300 г брокколи;
- 2 яйца;
- 250 г обезжиренного плавленого сыра (0 %), можно заменить протертым творогом;
- 1 маленькая луковица;
- 200 г зеленого перца;
- соль и перец.

Взбить венчиком яйца, смешать с размятым вилкой лососем, брокколи, тертым сыром, очищенными и измельченными зеленым перцем, солью и перцем.

Выложить полученную смесь в жаропрочное блюдо с антипригарным покрытием. Поставить на 35 минут в духовку, разогретую до 180 °С (термостат 6). Подавать с салатом или овощами.

Сердце из лосося 

Время подготовки: 10 минут.

Время приготовления: 45 минут.

Ингредиенты:

Содержит 1 допускаемый продукт

- 420 г хека;
- 140 г филе лосося;
- 100 мл воды;
- 3 яйца;
- 100 г мягкого обезжиренного творога (0 %);
- 1 столовая ложка кукурузного крахмала;
- соль и перец.

Разогреть духовку до 210 °C (термостат 7). Смешать хек, яйца, творог, соль, перец и размешанный в небольшом количестве воды кукурузный крахмал. Вылить тесто в форму для выпечки диаметром 22 см и поместить в середину филе лосося. Выпекать около 45 минут.

Лосось с луком-пореем 

Время подготовки: 15 минут.

Время приготовления: 30 минут.

Ингредиенты:

- 4 филе лосося;
- 500 г лука-порея (белая часть);
- несколько веточек укропа;
- 1 небольшой лук-шалот;
- соль и перец.

Промыть и нарезать кольцами лук-порей. Пассеровать лук в сотейнике на слабом огне около 20 минут. При необходимости залить небольшим количеством воды. Посолить, поперчить и отложить в сторону.

Обжарить на сковороде лосось, приправленный солью и перцем. Подавать вместе с мелко нарезанным луком-шалот, приготовленным ранее луком-пореем, посыпав измельченным укропом.

Мусс из копченого лосося 

Время подготовки: 15 минут.

Время приготовления: 0 минут.

2 часа

Ингредиенты:

- 120 г копченого лосося;
- 1 лимон;
- 260 г мягкого обезжиренного творога (0 %);
- 2 яичных белка;
- 4 стебля сельдерея;
- 1 чайная ложка томатной пасты без сахара;
- 1 лист желатина;
- 1 столовая ложка горячей воды;
- 1 чайная ложка молотой паприки.

Смешать блендером копченый лосось с творогом, добавить желатин, растворенный в 1 столовой ложке горячей воды. Соединить томатную пасту с лимонным соком и паприкой, затем добавить к творожной массе, тщательно перемешать. Взбить венчиком. Взбить в пену яичные белки и аккуратно добавить их в основную смесь. Вылить мусс в формочки и поставить в холодильник на 2–3 часа. Подавать с нарезанным сельдереем.

Лосось с мятой ② ③ ④

Время подготовки: 20 минут.

Время приготовления: 30 минут.

12 часов

Ингредиенты:

- 500 г филе лосося;
- 1 кусок копченого лосося;
- 1 большой кабачок;
- 1 столовая ложка мягкого обезжиренного творога (0 %);
- 2 листа желатина;
- 10 листьев свежей мяты;
- полстакана воды;
- соль и перец.

Филе лосося сварить на пару (20 минут) или запечь в духовке (завернуть в фольгу и запекать 30 минут). Остудить. Вымыть и мелко нарезать свежую мяту. Вымыть кабачок и разрезать вдоль тонкими полосками. Слегка обжарить на сковороде. Остудить.

Измельчить оба вида лосося (копченый и свежий). Размягченные в холодной воде листья желатина отжать от воды. Смешать желатин с лососем, творогом и мятой.

Все перемешать, посолить, поперчить. Положить кабачок в четыре формочки и добавить к нему смесь из лосося. Поставить в холодильник на 12 часов и достать за 30 минут до подачи на стол.

Лосось с овощами ② ③ ④

Время подготовки: 20 минут.

Время приготовления: 20 минут.

Ингредиенты:

- 4 филе лосося;
- 100 г грибов;
- 1 небольшой кабачок;
- 2 помидора;
- 1 лимон;
- 2 чайные ложки розового перца;
- соль и перец.

Разогреть духовку до 210 °C (термостат 7). Вымыть кабачки и нарезать тонкими кольцами. Очистить и порезать помидоры на четвертинки. Удалить семена. Вымыть грибы и нарезать соломкой. Выложить на бумагу для выпечки филе лосося. На каждый кусок рыбы положить овощи и четвертинки лимона. Приправить солью, перцем и семенами розового перца. Завернуть рыбу в бумагу для выпечки (или в фольгу) и положить в жаропрочное блюдо. Запекать 20 минут.

Лосось с луком-пореем ② ③ ④ и фенхелем

Время подготовки: 15 минут.

Время приготовления: 15 минут.

Ингредиенты:

- 4 филе лосося;
- 1 яйцо;
- 4 стебля лука-порея;

- 4 небольших луковицы;
- 2 клубня фенхеля;
- 4 бутончика гвоздики;
- 2 л воды;
- 1 пучок зелени по вкусу;
- соль.

Промыть и очистить фенхель. Разрезать на 4 части лук-порей и фенхель. В каждую луковку воткнуть по бутончику гвоздики.

В большой кастрюле довести до кипения 2 л подсоленной воды, опустить в нее фенхель, лук, лук-порей и пучок зелени. Варить на медленном огне 10 минут. Добавить лосось и варить после этого еще 5 минут.

В это время сварить яйцо вкрутую, остудить и затем размять его вилкой. После варки слить бульон с рыбы и овощей, положить их на тарелки и посыпать рязмятым вилкой яйцом.

Изысканный лосось 

Время подготовки: 10 минут.

Время приготовления: 0 минут.

Ингредиенты:

- 4 куска копченого лосося;
- 200 г обезжиренного йогурта (0 %);
- половина клубня фенхеля;
- 4 листа салата;
- половина лимона;
- 1 небольшой пучок свежего укропа;
- 1 столовая ложка малинового уксуса;
- соль, перец.

Вымыть и мелко нарезать укроп. Вымыть и нарезать мелкими кубиками фенхель. Подготовить в маленькой миске соус-микс из лимонного сока, соли, перца и йогурта. Добавить в соус укроп и фенхель. Вымыть листья салата и выложить на тарелки. Положить на них лосось, нарезанный полосками, залить все соусом.

Фаршированный лосось ② ③ ④

Время подготовки: 10 минут.

Время приготовления: 40 минут.

2 часа

Ингредиенты:

Содержит 1 допускаемый продукт

- примерно 1,5 кг лосося без костей;
- 1 пучок свежей петрушки;
- 1 лимон;
- 1 пучок кинзы;
- 1 чайная ложка тмина;
- половина острого стручкового перца;
- 1 столовая ложка тертого имбиря;
- 5 стеблей лимонной травы (цитронеллы);
- 1 стакан белого столового вина (100 мл);
- 2 пучка молодых луковок;
- 4 зубчика чеснока;
- соль и перец.

Измельчить петрушку, кинзу, перец, лимонную траву, лук и чеснок. Порезать тонкими дольками лимон и добавить к полученной смеси. Смешать все в миске, добавить тмин, имбирь, белое вино и оставить маринад в прохладном месте на несколько часов.

Нарезать небольшими кусочками лосось, посолить и поперчить. Фаршировать внутренность рыбы маринадом. Положить рыбу на бумагу для выпечки и поставить на 40 минут в духовку, разогретую до 200 °C (термостат 6–7).

Рыбный пирог ② ③ ④

Время подготовки: 10 минут.

Время приготовления: 45 минут.

Ингредиенты:

Содержит 1 допускаемый продукт

- 1 филе рыбы (треска или сайда) большого размера;
- 3 крабовые палочки;
- 3 яйца;
- 6 столовых ложек зернистого обезжиренного творога (0 %);
- 1 столовая ложка кукурузного крахмала;
- чеснок, петрушка, зеленый лук по вкусу;
- соль и перец.

Отделить желтки от белков. Белки взбить до образования густой пены и осторожно смешать с желтками, творогом, кукурузным крахмалом, чесноком, петрушкой и зеленым луком. Добавить порезанные крабовые палочки и фарш из рыбы. Посолить и поперчить. Вылить смесь в форму, на бумагу для выпечки. Выпекать 45 минут в предварительно разогретой до 130 °C (термостат 4–5) духовке.

Филе трески с кабачками ② ③ ④ и травами

Время подготовки: 10 минут.

Время приготовления: 20 минут.

Ингредиенты:

- 4 филе трески;
- 4 кабачка;
- 3 лимона;
- 4 зубчика чеснока;
- несколько веточек тимьяна;
- соль и перец.

Помыть кабачки и порезать кольцами. В кастрюлю с антипригарным покрытием выложить слой кабачков, затем филе рыбы. Посолить, поперчить и положить еще один слой кабачков. Полить все лимонным соком, добавить толченый чеснок и немного тимьяна. Накрыть крышкой и тушить 20 минут на слабом огне.

Треска в шафране ② ③ ④

Время подготовки: 15 минут.

Время приготовления: 30 минут.

Ингредиенты:

- 4 трески;
- 500 г помидоров;
- 100 г репчатого лука;
- 100 г лука-порея (белая часть);

- 1 фенхель;
- 3 веточки петрушки;
- 2 зубчика чеснока;
- щепотка шафрана;
- 100 мл воды;
- соль и перец.

Бланшировать помидоры, очистить, порезать на кусочки и положить в кастрюлю. Добавить толченый чеснок, мелко нарезанные лук-порей, репчатый лук, укроп и петрушку. Приправить все шафраном, солью и перцем. Тушить на медленном огне 10 минут. Добавить рыбу, залив ее водой. Увеличить огонь. Когда вода закипит, уменьшить огонь и тушить еще 20 минут.

Треска по-провансальски 

Время подготовки: 15 минут.

Время приготовления: 10–15 минут.

Ингредиенты:

- 4 филе трески;
- 8 кусков постной ветчины (не более 4 % жирности);
- 8 помидоров;
- 2 луковицы;
- 2 зубчика чеснока;
- несколько листьев базилика;
- соль, перец.

Разогреть духовку до 240 °C (термостат 8). Подготовить 4 маленьких жаропрочных горшочка. В каждый из них положить по куску ветчины. Бланшировать помидоры, очистить их от кожицы, удалить семена, мелко нарезать, разложить по горшочкам и посолить. Очистить лук и чеснок, измельчить и добавить к помидорам. Завернуть филе трески в ветчину, получится 4 рулета, и выложить их на помидоры. Приправить по вкусу. Запекать 10–15 минут, поперчить и посыпать нарезанным базиликом.

Жаркое из трески ② ③ ④ с кабачками и помидорами

Время подготовки: 20 минут.

Время приготовления: 30 минут.

Ингредиенты:

- 700 г трески;
- 400 г кабачков;
- 300 г помидоров;
- 4 зубчика чеснока;
- 2 веточки тимьяна;
- 1 столовая ложка воды;
- соль и перец.

Разогреть духовку до 210 °C (термостат 7). Вымыть кабачки, обрезать концы и нарезать кольцами толщиной в 3 мм. Бланшировать помидоры, удалить семена и мелко порезать.

Налить воды в прямоугольное блюдо и положить в него овощи, посыпать тимьяном, посолить, поперчить и хорошо перемешать.

Очистить и порезать каждый зубчик чеснока на 3 части. Промыть рыбу, обсушить, сделать 6 разрезов с каждой стороны и положить в них чеснок. Посолить и поперчить. Положить рыбу на середину блюда, овощи по краям. Поставить в духовку и запекать 30 минут. Время от времени помешивать овощи.

Когда рыба будет готова, удалить с нее кожу. Разложить по тарелкам вместе с овощами и полить соусом, который выделился во время запекания.

Фаршированный хек ② ③ ④

Время подготовки: 15 минут.
Время приготовления: 30 минут.
Ингредиенты:

- 800 г хека;
- 100 г крабового мяса;
- половина небольшой луковицы;
- 1 стебель сельдерея;
- 1 яйцо;
- несколько веточек петрушки;
- 250 мл томатного сока;
- соль и перец.

Разогреть духовку до 210 °С (термостат 7). Мелко порезать лук, сельдерей и петрушку. Смешать все с половиной томатного сока, добавить крабовое мясо и яйцо. Смешать и приправить по вкусу. Рыбу нарезать на 8 частей. Выложить полученный фарш на 4 кусочка хека и накрыть оставшейся рыбой, затем сложить все в жаропрочное блюдо. Залить хек остатками томатного сока. Выпекать 30 минут. Подавать горячим.

Китайское фондю 

Время подготовки: 15 минут.
Время приготовления: 10 минут.
Ингредиенты:

- 400 г рыбы (хек, треска, морской лещ);
- 100 г кальмаров;

- 12 мидий;
- 12 очищенных креветок;
- 600 г овощей на выбор:
  капуста, морковь, грибы, сельдерей, помидоры;
- 300 мл постного бульона со специями;
- 1 лимон;
- несколько веточек кервеля.

Почистить и отварить овощи на пару. Овощи должны не развариться, а остаться хрустящими. Остудить и выложить на тарелки.

Разрезать рыбу на мелкие кусочки и выложить на блюдо или на 4 тарелки вместе с кальмарами, креветками и очищенными мидиями. Украсить дольками лимона.

Чтобы бульон был достаточно острым, добавить в него несколько веточек кервеля и подогреть. Для придания более интересного вкуса можно добавить соевый соус без сахара. Опускать овощи, рыбу и морепродукты в горячий бульон, как в фондю.

Скат в шафране ② ③ ④

Время подготовки: 20 минут.

Время приготовления: 45 минут.

Ингредиенты:

- 1 крыло ската (около 400 г);
- 2 стебля лука-порея (белая часть);
- 2 моркови;
- 2 стебля сельдерея;
- 1 луковица;

- несколько веточек петрушки;
- 1 пучок зелени по вкусу;
- 1 л воды;
- щепотка шафрана;
- соль, перец-горошек.

Помыть и очистить все овощи. Порезать их кубиками, варить в подсоленной воде 10 минут. Добавить к ним лук, зелень, 5 горошин черного перца и шафран. Варить еще 15 минут на медленном огне. Извлечь овощи шумовкой и положить в дуршлаг. Варить рыбу 20 минут в овощном бульоне. Слить бульон и подавать с овощами.

Выложить на тарелки рыбу, полить несколькими ложками бульона и посыпать рубленой петрушкой.

Окунь Гарам Масала 

Время подготовки: 15 минут.

Время приготовления: 20 минут.

1 час

Ингредиенты:

Содержит 1 допускаемый продукт

- 200 г очищенных вареных креветок;
- 400 г окуня без костей;
- 4 столовые ложки обезжиренного йогурта (0 %) (для маринада);
- 8 столовых ложек обезжиренного йогурта (0 %) (для тушения);
- полстакана овощного бульона;
- 400 г моркови;

- 2 луковицы-шалот;
- 1 чайная ложка кукурузного крахмала;
- 75 г кресс-салата;
- 200 г фенхеля;
- сок 1-го лимона;
- 1 чайная ложка холодной воды;
- 1 столовая ложка приправы «гарам масала»[12];
- пара капель оливкового масла;
- соль и перец.

Взбить венчиком «гарам масала» с йогуртом. Порезать рыбу и креветки кусочками и посолить. Перемешать рыбу и креветки со смесью «гарам масала» и йогуртом и на час поставить мариноваться в холодильник. После чего обжарить рыбу и креветки на сковороде на сильном огне, затем положить на тарелку и прикрыть.

Обжарить мелко порезанный лук на слегка смазанной маслом сковороде с антипригарным покрытием, постоянно помешивая. Вымыть и очистить морковь, порезать соломкой, измельчить укроп. Добавить на сковороду морковь с укропом и обжарить, затем вылить на них овощной бульон и тушить под крышкой, пока овощи не станут мягкими.

Растворить кукурузный крахмал в йогурте и 1 чайной ложке холодной воды. Добавить смесь к овощам и довести до кипения.

Выложить овощную смесь на тарелки и подавать с теплыми кусочками рыбы, креветками, кресс-салатом, лимонным соком, посолив и поперчив по вкусу.

---

[12] См. прим. на стр. 142.

Запеченная рыба ② ③ ④

Время подготовки: 15 минут.

Время приготовления: 30 минут.

Ингредиенты:

- 500 г филе белой рыбы (треска, морской лещ, сайда);
- 125 г креветок;
- 4 яичных белка;
- 1 банка молодой зеленой спаржи (660 г);
- 4 столовые ложки мягкого обезжиренного творога (0 %);
- несколько веточек петрушки;
- соль, перец.

Смешать измельченное филе рыбы с творогом и белками. Выложить смесь в жаропрочное блюдо, перемешав с креветками, нарезанными спаржей и зеленью петрушки. Запекать 30 минут при 180 °С (термостат 6).

Рыба в папильотках (в фольге) 

Время подготовки: 20 минут.

Время приготовления: 10 минут.

Ингредиенты:

- 4 филе нежирной рыбы;
- 2 помидора;
- 2 луковицы;
- 2 моркови;
- 1 зеленый перец;
- 2 стебля сельдерея;
- 2 веточки петрушки;
- соль и перец.

Разогреть духовку до 250 °С (термостат 8–9). Бланшировать помидоры и отчистить их от кожуры. Измельчить лук, петрушку, сельдерей, помидоры, морковь и перец. Посолить и поперчить. Вымыть и обсушить рыбу. Выложить куски рыбы на алюминиевую фольгу, накрыть овощами. Плотно завернуть в фольгу и запекать в течение 10 минут.

Запеченная рыба с томатным пюре ② ③ ④

Время подготовки: 25 минут.

Время приготовления: 20–25 минут.

Ингредиенты:

- 400 г филе морского языка;
- 1 яйцо;
- 2 чайные ложки мягкого обезжиренного творога (0 %);
- 800 г помидоров;
- 1 луковица-шалот;
- 1 зубчик чеснока;
- 1 пучок кервеля;
- щепотка тимьяна;
- несколько лавровых листьев;
- соль и перец.

Филе морского языка измельчить (можно при помощи блендера), посолить и поперчить. Добавить к рыбе нарезанный кервель, взбитое венчиком яйцо и 2 столовые ложки творога. Вылить смесь в 2 формочки и запекать 20–25 минут в предварительно разогретой духовке (180 °С — термостат 6).

Пока рыба запекается, подготовить пюре: отварить в течение 15 минут помидоры с лавровым листом, измельченным чесноком, тимьяном и мелко порезанным луком-шалотом. Довести все до однородной массы блендером. Подавать рыбу с получившимся соусом.

Салат из шпината ② ③ ④ с копченой рыбой

Время подготовки: 5 минут.

Время приготовления: 2–3 минуты.

Ингредиенты:

- 300 г копченой рыбы (лосось, палтус, форель, угорь);
- 700 г листьев шпината;
- винный уксус по вкусу;
- 1 столовая ложка вазелинового масла;
- горчица по вкусу;
- соль и перец.

Выложить на тарелки вымытые и высушенные листья шпината. Обжарить на сковороде рыбу, порезанную на куски, выложить ее на шпинат. Полить все соусом, приготовленным из горчицы, уксуса и вазелинового масла, пропорции по вкусу. Посолить и поперчить.

Запеканка с мидиями ② ③ ④

Время подготовки: 20 минут.

Время приготовления: 20 минут.

Ингредиенты:

Содержит 3 допускаемых продукта

- 1 кг мидий;
- 750 г цукини;
- 8 яичных желтков;
- 8 столовых ложек мягкого обезжиренного творога (0 %);
- 6 столовых ложек плавленого сыра 5 % жирности;
- 2 чайные ложки кукурузного крахмала;
- 1 чайная ложка сметаны (4 % жирности);
- 1,5 л воды;

- пара капель оливкового масла;
- 1 лавровый лист;
- соль, перец.

Вымыть цукини, нарезать кольцами и обжарить на слегка смазанной маслом сковороде на среднем огне. Посолить, поперчить, перемешать и подождать около 10 минут, пока овощи не пустят сок, который необходимо слить.

Помыть мидии, положить их в большую кастрюлю с водой и лавровым листом и варить до раскрытия раковин. Извлечь мидии из раковин. Воду не выливать.

Разогреть духовку до 240 °C (термостат 8). Растворить кукурузный крахмал в кастрюле со стаканом воды, добавить сметану и сок мидий, поперчить и взбить венчиком. Поставить на огонь и разогреть. Когда соус загустеет, снять кастрюлю с огня.

Смешать в миске желтки с творогом, добавить соус из мидий, перемешать, взбивая венчиком. Выложить цукини в жаропрочное блюдо, сверху положить мидии, залить все соусом и плавленым сыром. Поставить в разогретую духовку и запекать 5 минут, а затем включить гриль и готовить еще 2 минуты.

Маринованные морские гребешки с овощами ② ③ ④

Время подготовки: 10 минут.

Время приготовления: 25 минут.

1 час

Ингредиенты:

- 16 морских гребешков;
- 1 баклажан;
- 2 кабачка;
- 4 столовые ложки томатного соуса без сахара;
- 1 лимон;
- несколько веточек свежей кинзы;
- соль и перец.

Помыть лимон, очистить его от цедры и выжать сок.

Подготовить маринад: смешать тертую цедру, сок лимона и измельченную кинзу, посолить и поперчить.

Готовить на пару гребешки 3 минуты. Вымыть овощи. Порезать баклажаны кубиками, а кабачки — кольцами. Варить их 10 минут на пару. Затем печь 10 минут на гриле в форме, выложенной бумагой для выпечки. Достать овощи из формы и залить маринадом. Добавить томатную пасту. Перемешать.

Выложить полученный маринад на 2 тарелки, затем добавить овощи и гребешки. Поставить мариновать в холодильник, подавать на стол не ранее чем через час.

Сырой морской язык с томатом ② ③ ④

Время подготовки: 10 минут.

Время приготовления: 0 минут.

1 час

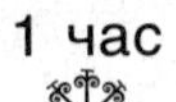

Ингредиенты:

- 4 филе морского языка;
- 4 спелых помидора;
- 1 лимон;
- 2 веточки кервеля;
- 1 веточка петрушки;
- 1 веточка мяты;
- соль, перец.

Приготовить пюре из помидоров: бланшировать, очистить от кожицы, удалить семена, мелко порезать, посолить и поперчить, добавить лимонный сок. Тщательно перемешать. Положить на тарелки. Нарезать рыбу тонкими полосками и посыпать измельченной зеленью. Положить рыбу на томатное пюре. Поставить на час в холодильник.

Рыбный паштет с зеленым луком ② ③ ④

Время подготовки: 15 минут.

Время приготовления: 75 минут.

Ингредиенты:

- 400 г филе дорады (морского леща);
- 300 г свежего лосося;
- 4 яичных белка;
- 2 столовые ложки мягкого обезжиренного творога (0 %);
- 200 г моркови;
- 300 г шпината.

Ингредиенты для соуса:

- 500 мл мягкого обезжиренного творога или йогурта (0 %);
- сок 1-го лимона;
- несколько веточек зеленого лука (или эстрагона);
- соль, перец.

Готовить блюдо нужно заранее. Сварить на пару морковь, затем измельчить ее в блендере. Сварить шпинат. С помощью блендера также измельчить и смешать дораду, белки, творог. Посолить и поперчить. Разделить полученную массу на три части. В первую часть добавить морковь, вторую смешать со сваренным шпинатом. К последней части ничего не добавлять.

Застелить пергаментной бумагой форму для выпечки и выложить в нее послойно все части, разделяя их лососем, нарезанным тонкими полосками.

Поставить в духовку, предварительно нагретую до 180 °C (термостат 6), и запекать 45 минут. Подготовить соус, смешав йогурт, лимонный сок и измельченную зелень.

ХЛЕБ, ЛЕПЕШКИ И ПИЦЦА

Хлеб доктора Дюкана ②③④

Время подготовки: 5 минут.

Время приготовления: 5–10 минут.

Ингредиенты:

Содержит 1 допускаемый продукт

- 1 яйцо;
- 50 г мягкого обезжиренного творожка (0 %);
- 1 столовая ложка кукурузного крахмала;
- 1 чайная ложка сухих дрожжей;
- молотые специи по вкусу.

Смешать все ингредиенты и вылить тесто в прямоугольное блюдо размером 15×20 см, глубиной не менее 5 мм. Накрыть пищевой пленкой (если будете печь в духовке, накрывать не надо), поставить в микроволновую печь и готовить 5 минут на максимальной мощности. Можно также выпекать хлеб 10 минут в духовке, предварительно нагретой до 200 °C (термостат 7). В конце выпечки удалить пленку с блюда и положить хлеб на поднос. Внимание: рецепт содержит крахмала и отрубей больше дневной нормы, поэтому одному человеку использовать его рекомендуется за 3 дня!

Рыбный хлеб ②③④

Время подготовки: 10 минут.

Время приготовления: 40 минут.

Ингредиенты:

Содержит 1 допускаемый продукт

- 300 г тунца в собственном соку;
- 100 мл обезжиренного молока;

- 3 яйца;
- 3 столовые ложки кукурузного крахмала;
- 1 пакетик сухих дрожжей;
- соль и перец.

Измельчить тунец и смешать с остальными ингредиентами. Полученную массу вылить в формочки для теста и поставить в разогретую до 200 °C духовку (термостат 6–7) на 40 минут. Подавать холодным с томатной пастой без сахара, майонезом «Дюкан» (см. стр. 279) или с креветочным соусом. Внимание: рецепт содержит крахмала больше дневной нормы, поэтому одному человеку использовать хлеб рекомендуется за 2 дня!

ОВОЩНЫЕ ГАРНИРЫ

Огурец с творогом ② ③ ④

Время подготовки: 10 минут.

Время приготовления: 0 минут.

Ингредиенты:

- 250 г мягкого обезжиренного творога (0 %);
- половина огурца;
- 1 красный перец;
- четверть желтого или зеленого перца;
- половина лимона;
- половина зубчика чеснока;
- соль и перец.

Очистить и растолочь чеснок. Вымыть, очистить и нарезать кубиками в 1 см огурцы.

Вымыть желтый (или зеленый) перец, удалить семена и порезать соломкой. Смешать в миске творог, огурец, толченый чеснок и лимонный сок. Посолить и поперчить. Перед подачей на стол украсить полосками красного перца.

Спаржа с соусом «Муслин» ② ③ ④

Время подготовки: 20 минут.

Время приготовления: 15 минут.

Ингредиенты:

Содержит 1 допускаемый продукт

- 600 г молодой зеленой спаржи;
- 300 мл обезжиренного молока;

- 2 яйца;
- 1 л овощного бульона;
- 1 столовая ложка кукурузного крахмала;
- 2 лимона;
- соль и перец.

Спаржу очистить и отварить (10–15 минут) в кипящем бульоне до мягкости. Достать из бульона на дуршлаг.

Подготовить соус: растворить кукурузный крахмал в холодном молоке, затем подогреть его в кастрюльке на слабом огне, непрерывно помешивая, пока не загустеет. Добавить яичные желтки и варить еще минуту. Посолить и поперчить. Выжать сок из лимона и добавить его в соус. Белки взбить до образования густой пены и аккуратно добавить в соус перед подачей.

Баклажаны с чесноком и петрушкой ② ③ ④

Время подготовки: 15 минут.

Время приготовления: 30–35 минут.

Ингредиенты:

- 200–250 г баклажанов;
- 2 веточки петрушки;
- 1 зубчик чеснока;
- соль и перец.

Вымыть баклажаны, удалить хвостики, высушить полотенцем, разрезать вдоль пополам и удалить мякоть (отложить в сторону). Измельчить мякоть баклажанов, чеснок и петрушку. Посолить и поперчить. Фаршировать половинки баклажанов полученной массой. Каждую половинку завернуть в алюминиевую фольгу и запекать 30–35 минут в духовке, предварительно нагретой до 170 °C (термостат 5).

Баклажаны с кинзой ② ③ ④

Время подготовки: 30 минут.

Время приготовления: 45 минут.

Ингредиенты:

- 5 больших баклажанов;
- 5 помидоров;
- половина луковицы;
- 10 веточек кинзы;
- 1 чайная ложка молотого красного перца;
- соль и перец.

Завернуть 3 баклажана в алюминиевую фольгу и запекать 30 минут в предварительно разогретой до 200 °C духовке (термостат 6). Два других баклажана разрезать вдоль пополам, отварить 10 минут на сильном огне в кастрюле с подсоленной водой.

Очистить и измельчить запеченные баклажаны. Нарезать помидоры кольцами, лук мелкими кубиками. Переложить измельченные баклажаны в кастрюлю вместе с помидорами, луком, перцем и тщательно перемешать. Посолить и поперчить. Тушить на сильном огне, помешивая время от времени.

Удалить мякоть из вареных баклажанов, оставляя 1 см толщины от края. Положить начинку, посыпать нарезанной кинзой. Подавать можно горячими или холодными.

Баклажаны по-провансальски  

Время подготовки: 15 минут.

Время приготовления: 30 минут.

Ингредиенты:

- 1 баклажан;
- 1 помидор;
- 1 луковица среднего размера;
- 1 зубчик чеснока;
- несколько листочков свежего базилика;
- 2 веточки тимьяна;
- немного воды;
- соль и перец.

Вымыть и нарезать кубиками баклажан. Измельчить помидор, чеснок и лук. Потушить лук с небольшим количеством воды. Добавить к луку баклажаны и обжаривать до золотистого цвета на сильном огне. Убавить огонь. Добавить помидоры, чеснок, тимьян, базилик. Посолить и поперчить. Накрыть крышкой и тушить 20 минут на медленном огне.

Баклажанная икра ② ③ ④

Время подготовки: 30 минут.

Время приготовления: 15 минут.

Ингредиенты:

- 6 твердых баклажанов;
- 2 зубчика чеснока;
- 1 столовая ложка белого винного уксуса;

- несколько капель вазелинового масла;
- 1 лимон;
- соль, перец.

Вымыть и высушить полотенцем баклажаны. Разогреть духовку до 220 °C (термостат 8) и запечь 15 минут баклажаны на гриле, время от времени переворачивая. В это время очистить и измельчить зубчики чеснока. Выжать сок из лимона.

Аккуратно достать баклажаны из духовки, подождать, пока они немного остынут, снять с них кожу. Размять мякоть баклажанов вилкой или блендером, добавить чеснок, лимонный сок, уксус. Добавить немного вазелинового масла, соль, перец, взбить все до консистенции майонеза. Подавать холодным.

Баклажаны с помидорами ② ③ ④

Время подготовки: 10 минут.

Время приготовления: 45 минут.

Ингредиенты:

- 600 г баклажанов;
- 1 кг помидоров;
- 2 луковицы;
- 2 зубчика чеснока;
- пара капель оливкового масла;
- соль, перец.

Вымыть баклажаны, очистить и нарезать вдоль на куски толщиной в 1 см. Обжарить нарезанный лук на слегка смазанной маслом сковороде на среднем огне. Бланшировать помидоры, очистить их от кожицы, нарезать и добавить в лук вместе с очищенными и измельченными зубчиками чеснока.

Посолить и поперчить. Тушить на медленном огне 20 минут под крышкой, затем превратить в пюре и снова переложить в сковороду.

Выложить кусочки баклажанов в пюре. Накрыть крышкой и тушить на медленном огне еще 20 минут. Приправить по вкусу.

Баклажанный мусс ② ③ ④

Время подготовки: 10 минут.

Время приготовления: 30 минут.

6 часов

Ингредиенты:

- 500 г баклажанов;
- 200 г обезжиренного йогурта (0 %);
- 2 красных перца;
- 2,5 чайной ложки желатина в порошке;
- 2 столовые ложки винного уксуса;
- 2 зубчика чеснока;
- соль и перец.

Запекать баклажаны и перец 30 минут в разогретой до 200 °C духовке (термостат 7). Очистить и измельчить чеснок. Налить в сотейник уксус и растворить в нем желатин. Разогреть, постоянно помешивая.

Очистить перцы от кожуры и удалить семена. Разрезать баклажаны на две части и удалить чайной ложечкой мякоть. Сделать пюре из чеснока, перца и мякоти баклажанов. Добавить в пюре растворенный желатин и йогурт. Посолить и поперчить. Перемешать. Вылить смесь в формочки и поставить в холодильник на 6 часов.

Пюре из баклажанов ② ③ ④ или кабачков

Время подготовки: 10 минут.

Время приготовления: 20 минут.

Ингредиенты:

- 1 помидор;
- 1 кабачок или баклажан;
- 1 чайная ложка прованских трав;
- 1 зубчик чеснока.

Помидор и кабачок (или баклажан) очистить и порезать кубиками. Готовить 20 минут на пару, затем измельчить блендером. Добавить прованские травы и чеснок. Поставить в холодильник на 1 час. Подавать охлажденным.

Салат из баклажанов ② ③ ④

Время подготовки: 15 минут.

Время приготовления: 40 минут.

Ингредиенты:

- 2 больших баклажана;
- 1 луковица-шалот;
- 4 веточки зеленого лука;
- 1 чайная ложка уксуса;
- 3 столовые ложки вазелинового масла;
- 2 веточки петрушки;
- 1 зубчик чеснока;
- соль.

Очистить баклажаны, порезать. Отваривать 20 минут в подсоленной воде на сильном огне. Уменьшить огонь и варить еще 20 минут. Остудить баклажаны, размять вилкой, залить винным уксусом и вазелиновым маслом, смешанным с измельченным чесноком, порезанным зеленым луком и луком-шалотом. Посыпать рубленой петрушкой и подавать охлажденным.

Террин из баклажанов ② ③ ④

Время подготовки: 15 минут.

Время приготовления: 65 минут.

Ингредиенты:

- 100 г копченой куриной грудки (или индейки);
- 3 помидора;
- 2 баклажана;
- 1 зубчик чеснока;
- 3 веточки петрушки;
- 1 стебель сельдерея.

Порезать баклажаны, посыпать солью и отложить. Подрумянить на сковородке кусочки грудки и отложить в сторону. Порезать стебли сельдерея и обжарить его на той же сковороде на слабом огне. Смешать кусочки грудки с сельдереем.

На дно формы для выпечки выложить слой баклажанов, слой сельдерея и кусочки грудки, посыпанные нарезанными петрушкой и чесноком, затем выложить слой нарезанных помидоров и в завершение — слой из оставшихся баклажанов. Запекать 1 час в духовке, предварительно нагретой до 180 °C (термостат 6).

Тажин из кабачков   ④

Время подготовки: 10 минут.

Время приготовления: 40 минут.

Ингредиенты:

- 0,5 л постного куриного бульона;
- 4 кабачка;
- 2 столовые ложки томатной пасты без сахара;
- 2 зубчика чеснока;
- 1 чайная ложка молотого тмина;
- 1 чайная ложка молотого кориандра;
- 1 лимон;
- 1 столовая ложка специй «рас ель ханут»[13];
- пара капель оливкового масла.

Измельчить чеснок и обжарить его несколько минут со специями в слегка смазанной маслом кастрюле. Добавить бульон кубики, томатную пасту и кабачки, нарезанные кубиками. Варить под крышкой 35 минут на среднем огне. Подавать, полив лимонным соком и посыпав кориандром, в специальной посуде для тажина.

[13] Ras el Hanout — смесь специй, используемая в марокканской кухне. Единого рецепта этой смеси нет. Можно приготовить самому, используя молотый кумин, имбирь, куркуму, соль, сахар, свежемолотый черный перец, молотую корицу, кайенский перец, кориандр, молотый фенхель и молотую гвоздику. — *Прим. ред.*

Террин из птицы ② ③ ④

Время подготовки: 20 минут.
Время приготовления: 90 минут.
Ингредиенты:

8 часов

- 1 целая курица без кожи (около 1,5 кг);
- 2 морковки;
- 2 помидора;
- 1 стебель лука-порея;
- 1 луковица;
- 1 яичный белок;
- несколько листьев эстрагона;
- 1 чайная ложка розового перца (горошком);
- 1 л воды;
- соль и перец.

Разобрать курицу на части. Очистить овощи от кожуры и положить все овощи (кроме помидоров) в кастрюлю, залив водой. Довести до кипения. Добавить курицу, приправить, снять пену и варить 1 час под крышкой на медленном огне. Достать курицу из бульона, дать ему стечь. Измельчить мясо, отделив его от костей.

Удалить семена из помидоров и порезать их кубиками. Выложить на дно формы для кекса слоями: мясо, кубики томатов, измельченные листья эстрагона.

Довести бульон до кипения и варить, пока не останется около 250 мл.

Взбить белок до образования густой пены, вылить в бульон и прокипятить в течение 1 минуты. Остудить и процедить бульон через марлю. Аккуратно вылить его на мясо с помидорами. Посыпать розовым перцем.

Через несколько часов достать террин из формы и поставить в холодильник. Подавать холодным.

Кабачки по-крестьянски ② ③ ④

Время подготовки: 10 минут.

Время приготовления: 20 минут.

Ингредиенты:

- 250 г кабачков;
- 100 г мягкого обезжиренного творога (0 %);
- 1 чайная ложка прованских трав;
- несколько веточек петрушки;
- соль и перец.

Вымыть, очистить и удалить семена из кабачков, порезать и приготовить их на пару в течение 10 минут. Переложить кабачки в жаропрочное блюдо. Залить соусом из нежирного творога и прованских трав. Посолить и поперчить. Поставить в духовку, предварительно нагретую до 210 °C (термостат 7), и запекать 10 минут. Перед подачей на стол посыпать мелко нарезанной зеленью петрушки.

Крем из кабачков  

Время подготовки: 10 минут.

Время приготовления: 30 минут.

Ингредиенты:

- 350 мл постного куриного бульона;
- 3–4 небольших кабачка;
- 30 г плавленого сыра 0 % жирности (можно заменить протертым обезжиренным творогом (0 %);
- соль и перец.

Положить в бульон тертые кабачки (кожицу срезать не нужно). Варить под крышкой 30 минут на среднем огне, постоянно помешивая. Снять с огня, добавить сыр, приправить по вкусу, довести блендером до пюреобразного состояния.

Охлажденный крем ② ③ ④ из кабачков

Время подготовки: 7 минут.

Время приготовления: 8 минут.

1 час

Ингредиенты:

- 200 мл постного куриного бульона;
- 1,5 л воды;
- 2 кабачка среднего размера;
- 200 г обезжиренного йогурта (0 %);
- 6 свежих листьев базилика;
- соль и перец.

Нарезать кабачки кольцами (не срезая кожуру). Положить их в кастрюлю с кипящей подсоленной водой и варить 8 минут на слабом огне. В это время в другой кастрюле довести до кипения 200 мл бульона. Снять бульон с огня и отставить в сторону.

Высушить полотенцем кабачки и смешать с бульоном.

Добавить 400 мл холодной воды и йогурт. Перемешать и приправить по вкусу. Поставить в холодильник. Подавать холодным, с кубиками льда. Посыпать свежими листьями базилика.

Грибы по-гречески  

Время подготовки: 20 минут.

Время приготовления: 12 минут.

Ингредиенты:

- 700 г грибов;
- 0,5 л воды;
- 5 чайных ложек лимонного сока;
- 15 веточек петрушки;
- 2 лавровых листа;
- 1 чайная ложка семян кориандра;
- 1 чайная ложка черного перца;
- соль.

Налить в кастрюлю 0,5 л воды, добавить лимонный сок, лавровый лист, семена кориандра, соль и перец. Довести до кипения и кипятить на медленном огне 10 минут под крышкой. Промыть грибы, высушить полотенцем, отделить шляпки от ножек, ножки порезать. Положить грибы в кастрюлю, опять довести воду до кипения и подержать 2 минуты на среднем огне. Добавить мелко нарезанную петрушку и перемешать. Остудить грибы, выложить на тарелку и полить отваром, в котором они варились. Добавить несколько семян кориандра.

Фаршированные шампиньоны ② ③ ④

Время подготовки: 20 минут.

Время приготовления: 25 минут.

Ингредиенты:

- 150 г постной куриной ветчины (не более 4 % жирности);
- 24 шампиньона;
- 100 г цукини;
- 2 луковицы-шалот;

- 2 яичных желтка;
- 1 красный перец;
- щепотка панировочных сухарей;
- 1 зубчик чеснока;
- несколько веточек зелени (петрушка, базилик, кервель);
- 1–2 перышка зеленого лука;
- 6 листьев мяты;
- 1 л воды;
- пара капель оливкового масла;
- соль, перец.

Разогреть духовку до 210 °C (термостат 7). Очистить грибы, отделить шляпки и положить их в блюдо для выпечки. Запекать 5 минут в духовке. Измельчить ножки грибов. Вымыть кабачки, нарезать мелкими кубиками и подержать 2 минуты в кипящей подсоленной воде. Очистить и нарезать лук-шалот и чеснок, затем пассеровать на слегка смазанной маслом сковороде с антипригарным покрытием с 1 столовой ложкой воды. Добавить к ним кабачки, ветчину, нарезанную тонкими полосками, перец и ножки грибов. Тушить, пока вода не выпарится. Снять с огня и добавить щепотку панировочных сухарей, желтки, мелко нарезанные зелень и листья мяты. Посолить и поперчить. Заполнить 12 шляпок грибов начинкой и накрыть остальными шляпками. Перевязать зеленым луком. Выпекать 10 минут.

Томатные чипсы с паприкой ② ③ ④

Время подготовки: 10 минут.
Время приготовления: 120 минут.
Ингредиенты:

- 10 помидоров;

- четверть чайной ложки паприки.

Выбрать круглые, твердые помидоры. Нарезать их кольцами толщиной 2 мм, выложить на алюминиевую фольгу и посыпать паприкой. Запекать в течение 2 часов в духовке, разогретой до 100 °C (термостат 3–4). Хранить в герметичной коробке в сухом месте.

Северная капуста ② ③ ④

Время подготовки: 15 минут.

Время приготовления: 15 минут.

Ингредиенты:

- 450 г белокочанной капусты;
- 2 столовые ложки соевого соуса без сахара (например, Kikkoman);
- 1 чайная ложка имбиря;
- 1 луковица;
- 1 столовая ложка соуса терияки[14];
- несколько веточек тимьяна;
- 1 зубчик чеснока;
- соль и перец.

Смешать соевый соус, соус терияки, тертый имбирь, чеснок и перец. Отставить в сторону на 5 минут. Выложить порезанную капусту на горячую сковороду с антипригарным покрытием, добавить нарезанный лук, соль и тимьян. Обжаривать на сильном огне 3–4 минуты (капуста должна оставаться хрустящей), добавить соус. Тушить на медленном огне до почти полного испарения соуса.

[14]Терияки — традиционный японский соевый соус. Можно приготовить самостоятельно, смешав 6 столовых ложек соевого соуса без сахара, сахарозаменитель по вкусу и 1 столовую ложку молотого имбиря. Все довести до кипения. — *Прим. ред.*

Шафрановый крем ② ③ ④ из цветной капусты

Время подготовки: 20 минут.

Время приготовления: 55 минут.

Ингредиенты:

- 750 мл обезжиренного молока;
- 500 г цветной капусты;
- 2 зубчика чеснока;
- 1 небольшой пучок кервеля;
- щепотка мускатного ореха;
- щепотка шафрана;
- соль и перец.

Бланшировать соцветия цветной капусты в кастрюле с кипящей водой, остудить и дать стечь воде. Вскипятить молоко и положить туда капусту и толченый чеснок. Варить 45 минут под крышкой на слабом огне. Все смешать блендером до однородного пюре. Добавить мускатный орех и шафран. Варить крем-пюре 5 минут на медленном огне. Переложить в горячую супницу, посолить и поперчить. Украсить веточками кервеля.

Огуречный мусс ② ③ ④

Время подготовки: 80 минут.

12 часов

Время приготовления: 10 минут.

Ингредиенты:

- 400 г мягкого обезжиренного творога (0 %);
- 250 мл воды;
- 100 мл обезжиренного молока;

- 2 огурца;
- 1 луковица;
- 4 листа желатина;
- 1 лимон;
- несколько веточек петрушки и эстрагона;
- соль, перец.

Замочить листья желатина в миске с холодной водой. Очистить огурцы, порезать, посыпать солью и дать постоять 1 час. Затем промыть холодной водой и дать воде стечь. Подогреть молоко на медленном огне и добавить к нему желатин.

Смешать блендером огурцы с творогом, молоком, желатином, тертой цедрой лимона, лимонным соком, мелко порезанным луком, зеленью петрушки и эстрагоном. Посолить и поперчить. Вылить массу в форму с антипригарным покрытием и поставить в холодильник на 12 часов.

Мусс из перца ② ③ ④

Время подготовки: 20 минут.

Время приготовления: 25 минут.

Ингредиенты:

- 120 г постной куриной ветчины (не более 4 % жирности);
- 200 г мягкого обезжиренного творога (0 %);
- 1 желтый перец;
- 1 красный перец;
- 2 столовые ложки сахарозаменителя;
- 1 л воды;
- несколько веточек петрушки;
- соль, перец.

Бланшировать перцы, затем порезать вдоль и удалить семена. Положить в кастрюлю с холодной водой и сахарозаменителем. Посолить и поперчить. Довести до кипения и варить 10 минут. Слить воду, отобрать 4 кусочка для украшения и порезать их тонкими полосками. Остальной перец измельчить блендером, смешав с ветчиной. Полученное пюре варить на слабом огне 5 минут. Выложить в небольшую салатницу и остудить.

Перед подачей на стол добавить в пюре творог и украсить полосками перца. Посыпать зеленью петрушки.

Салат «Петрушка» ② ③ ④

Время подготовки: 10 минут.

Время приготовления: 0 минут.

Ингредиенты:

- 1 большой пучок петрушки;
- 1 средняя луковица;
- 1,5 лимона;
- соль.

Промыть петрушку и высушить бумажным полотенцем. Отрезать стебли. Мелко нарезать. Смешать в миске петрушку и измельченный лук, добавить нарезанный кубиками 1 лимон и сок половины лимона. Посолить и перемешать. Подавать охлажденным.

Прекрасное дополнение к мясу, приготовленному на гриле.

Пастуший салат ② ③ ④

Время подготовки: 15 минут.

Время приготовления: 0 минут.

Ингредиенты:

- 4 помидора;
- 2 сладких перца;

- 2 луковицы;
- 2 маленьких огурца;
- сок половины лимона;
- 3 веточки петрушки;
- 1 столовая ложка вазелинового масла;
- несколько листьев мяты;
- соль и перец.

Помидоры и огурцы нарезать мелкими кубиками и положить в салатницу.

Порезать лук тонкими кольцами, измельчить перцы (удалив семена), мяту и петрушку. Положить в салатницу. Полить лимонным соком и заправить вазелиновым маслом. Посолить и поперчить.

Цацики ② ③ ④

Время подготовки: 10 минут.

Время приготовления: 0 минут.

2 часа

Ингредиенты:

- половина огурца;
- 200 г обезжиренного йогурта (0 %);
- 1 зубчик чеснока;
- морская соль.

Очистить огурец, удалить семена, мелко нарезать и посыпать морской солью. Оставить на несколько минут. Затем мелко нарезать чеснок, смешать все ингредиенты и поставить в холодильник на несколько часов.

Подавать холодным к мясным блюдам.

Свекла с тофу ② ③ ④

Время подготовки: 20 минут.
Время приготовления: 10 минут.
Ингредиенты:

- 500 г свеклы;
- 400 г шпината;
- 240 г тофу;
- половина луковицы;
- 1 чайная ложка соевого соуса без сахара (например, Kikkoman);
- 1 чайная ложка мяты;
- пара капель оливкового масла;
- соль и перец.

Вымыть свеклу и шпинат, высушить полотенцем и порезать. Мелко нарезанный лук пассеровать на слегка смазанной маслом сковороде с антипригарным покрытием, затем добавить свеклу и шпинат и тушить под крышкой 10 минут. Затем выложить на тарелку. В это время нарезать мелкими кубиками тофу и нагревать с 1 чайной ложкой соевого соуса в кастрюле в течение 5 минут на слабом огне. Посолить, поперчить и тушить еще 5 минут. Подавать горячие овощи с тофу, посыпав нарезанной мятой.

Террин из лука-порея ② ③ ④

Время подготовки: 30 минут.
Время приготовления: 30 минут.
Ингредиенты:

- 2 кг молодого лука-порея;
- 4 помидора;

- 1 столовая ложка белого винного уксуса;
- 10 веточек любой свежей зелени;
- соль и перец.

Очистить лук-порей и порезать в длину (лук-порей должен быть такой же длины, что и блюдо, в котором террин будет подаваться на стол). Связать его в небольшие пучки и варить 20–30 минут в кипящей подсоленной воде. Откинуть на дуршлаг и высушить бумажным полотенцем. Застелить блюдо фольгой (сделать в ней несколько отверстий, чтобы через них могла вытекать вода). Выложить лук в эту форму. Поставить на несколько часов в холодильник, регулярно сливая образующийся соус.

Помидоры бланшировать, снять кожицу, затем измельчить блендером, добавив уксус, мелко нарезанную зелень и доведя массу до густого кремообразного состояния. Посолить и поперчить.

Достать террин из формы и подавать с приготовленным соусом.

Весенний паштет 

Время подготовки: 15 минут.

Время приготовления: 25 минут.

Ингредиенты:

- 100 г постной ветчины (не более 4 % жирности);
- 900 г моркови;
- 125 г мягкого обезжиренного творога (0 %);
- 500 г лука-порея;
- 5 яиц;
- соль и перец.

Натереть морковь на терке, приготовить на пару лук-порей в течение 10 минут и сделать из них пюре с помощью блендера. Взбить яйца и смешать их с творогом, солью и перцем. Добавить пюре из овощей, измельченную ветчину, тщательно перемешать и выложить в прямоугольное жаропрочное блюдо. Накрыть крышкой и запекать 15 минут в духовке, разогретой до 190 °С (термостат 6–7).

Провансальская ② ③ ④ овощная запеканка

Время подготовки: 10 минут.

Время приготовления: 55 минут.

Ингредиенты:

- 5 помидоров;
- 2 баклажана;
- 1 цукини;
- 2 зеленых болгарских перца;
- щепотка тимьяна;
- щепотка чабера;
- 5 листьев свежего базилика;
- 8 зубчиков чеснока;
- 1 стакан воды;
- соль и перец.

Разогреть духовку до 220 °С (термостат 7). Вымыть, высушить и нарезать кольцами помидоры, цукини и баклажаны. Вымыть перцы, высушить, разрезать и удалить семена. Выложить в форму для выпечки помидоры, чередуя с баклажанами и кабачками, как выкладывают овощи для рататуя. В середину положить нарезанные тонкими полосками перцы и измельченный чеснок. Посыпать тимьяном, мелко нарезанным базиликом, посолить, поперчить. Поставить в духовку на 55 минут.

В середине приготовления добавить 1 стакан воды, чтобы овощи не подсыхали.

Французский рататуй ② ③ ④

Рецепт Ольги Александровой (группа «Диета Дюкан» ВКонтакте)

Время подготовки: 25 минут.

Время приготовления: 50 минут.

Ингредиенты:

- 2 баклажана;
- 1 болгарский красный перец;
- 2 помидора;
- 2 моркови;
- 1 большая луковица;
- 100 г мягкого обезжиренного творога (0 %);
- 1 пучок кинзы;
- специи на выбор;
- несколько капель оливкового масла;
- соль и перец.

Обжарить до золотистой корочки в глубокой сковороде мелко порезанный лук. Добавить к луку перец, порезанный кубиками, и протертую на терке морковь. Обжарить овощи, периодически помешивая деревянной лопаткой.

Очистить баклажаны от кожуры, разрезать пополам и положить в холодную воду на 15 минут, чтобы убрать горечь. Высушить бумажным полотенцем и порезать кубиками. Положить в сковороду. Перемешать с овощами, накрыть крышкой и поставить тушиться 30–40 минут на медленном огне (в зависимости от количества овощей).

Мелко порезать кинзу и добавить в рататуй при выключенном огне (она не должна вариться). Перемешать. Приправить, подавать с мягким обезжиренным творожком вместо сметаны.

Салат Оливье ② ③ ④

Рецепт Виктории Соколовой (группа «Диета Дюкан» ВКонтакте)

Время подготовки: 10 минут.

Время приготовления: 30 минут.

Ингредиенты для салата:

- 1 куриная грудка;
- 150 г консервированной стручковой фасоли;
- 2 моркови;
- 1 кабачок;
- 3 яйца;
- 4 корнишона;
- 1 пучок любой зелени.

Ингредиенты для заправки:

- 150–200 г мягкого обезжиренного творога (0 %);
- 3 чайные ложки соевого соуса без сахара (например, Kikkoman);
- 2 чайные ложки горчицы.

Отварить куриную грудку, остудить и мелко порезать. Отварить морковь, кабачок и фасоль, порезать мелкими кубиками. Сварить яйца, очистить и порезать. Порезать корнишоны и покрошить зелень. Смешать овощи в салатнице. Смешать все ингредиенты для соуса и заправить им салат (солить не требуется).

НАПИТКИ

Коктейль «Вечеринка в саду» ② ③ ④

Время подготовки: 10 минут.

Время приготовления: 0 минут.

Ингредиенты:

- 50 мл воды;
- 150 г помидоров;
- 50 г моркови;
- 30 г сельдерея;
- сок 1-го лимона.

Все овощи помыть и почистить, затем пропустить через соковыжималку. Добавить воду и сок лимона. Подавать охлажденным.

Коктейль «Жизненная сила» ② ③ ④

Время подготовки: 15 минут.

Время приготовления: 0 минут.

Ингредиенты:

- 400 мл воды;
- 300 г моркови;
- 100 г сельдерея;
- 25 г укропа;
- 5 г соли.

Вымыть морковь, очистить сельдерей. Порезать овощи на мелкие кубики. Смешать с водой, укропом и солью, довести до однородной консистенции с помощью блендера (около 45 секунд). Подавать охлажденным.

ДЕСЕРТЫ

Сырники ② ③ ④

Рецепт Юлии Заволокиной (группа «Диета Дюкан» ВКонтакте)

Время подготовки: 5 минут.
Время приготовления: 30 минут.
Ингредиенты:

Содержит 1 допускаемый продукт

- 175 г зернистого обезжиренного творога (0 %);
- 1 яйцо;
- 2 чайные ложки кукурузного крахмала;
- 5 таблеток сахарозаменителя.

Разогреть духовку до 200 °C (термостат 6–7).

Смешать все ингредиенты. Сформовать 4 комочка, выложить на пергаментную бумагу. Запекать в духовке 30 минут.

Чизкейк ② ③ ④

Время подготовки: 10 минут.
Время приготовления: 12 минут.
Ингредиенты:

Содержит 1 допускаемый продукт

- 5 столовых ложек мягкого обезжиренного творога (0 %);
- 2 столовые ложки лимонного сока;
- 2 столовые ложки кукурузного крахмала;
- 3 столовые ложки сахарозаменителя;
- 2 яичных желтка;
- 5 яичных белков.

Взбить миксером творог, кукурузный крахмал, яичные желтки, сок лимона и сахарозаменитель до кремообразной консистенции. Взбить белки и аккуратно добавить в творог, перемешать. Вылить смесь в круглую форму. Готовить 12 минут в микроволновой печи на средней мощности. Подавать холодным.

Творожная запеканка ② ③ ④

Время подготовки: 10 минут.

Время приготовления: 30 минут.

Ингредиенты:

Содержит 1 допускаемый продукт

- 125 г мягкого обезжиренного творога (0 %);
- 1 столовая ложка кукурузного крахмала;
- 2 яичных желтка;
- 4 яичных белка;
- половина чайной ложки сахарозаменителя;
- 1 чайная ложка разрыхлителя;
- цедра 1 лимона.

Смешать все ингредиенты, кроме белков. Взбить белки до образования пены, смешать с творогом и яичными желтками. Вылить в форму для выпечки и выпекать 30 минут в предварительно разогретой духовке при температуре 200 °С (термостат 6–7). Подавать холодным.

Десертный крем ② ③ ④

Время подготовки: 5 минут.

Время приготовления: 10 минут.

Ингредиенты:

Содержит 2 допускаемых продукта

- 1 л обезжиренного молока;
- 3 столовые ложки сахарозаменителя;

- 2 столовые ложки обезжиренного какао (например, Van Houten, не более 11 % жирности);
- 2 столовые ложки кукурузного крахмала.

Оставить 140 мл молока, остальное вскипятить. Холодное молоко, сахарозаменитель, какао и кукурузный крахмал поместить в шейкер и энергично потрясти. Когда молоко закипит, добавить в него содержимое шейкера. Варить на среднем огне, постоянно помешивая. Снять с огня, как только крем закипит. Вылить смесь в небольшие формы.

Йогуртовый десерт ② ③ ④

Время подготовки: 15 минут.

Время приготовления: 20–30 минут.

Ингредиенты:

Содержит 1 допускаемый продукт

- 2 яйца;
- 200 г обезжиренного йогурта с натуральным вкусом (0 %);
- 2 столовые ложки кукурузного крахмала;
- 2 чайные ложки сахарозаменителя;
- ароматизатор по вкусу;
- щепотка соли.

Разогреть духовку до 210 °С (термостат 7). Отделить белки от желтков. Смешать желтки с сахарозаменителем, йогуртом, кукурузным крахмалом и ароматизатором. Взбить белки со щепоткой соли до образования густой пены. Смешать с остальными ингредиентами. Вылить тесто в форму для выпечки диаметром 18 см. Выпекать 20–30 минут.

Йогуртовая запеканка 

Время подготовки: 15 минут.

Время приготовления: 45 минут.

Ингредиенты:

Содержит 1 допускаемый продукт

- 3 яйца;
- 100 г обезжиренного йогурта (0 %);
- половина чайной ложки сахарозаменителя;
- 4 столовые ложки кукурузного крахмала;
- 2 чайные ложки разрыхлителя;
- 1 чайная ложка апельсинового ароматизатора;
- пара капель оливкового масла.

Взбить яйца с йогуртом, добавить сахарозаменитель, апельсиновый ароматизатор, кукурузный крахмал и разрыхлитель. Слегка смазать маслом форму для выпечки и вылить в нее тесто. Поставить в духовку, предварительно нагретую до 180 °C (термостат 6). Выпекать 45 минут.

Пирог Нана 

Время подготовки: 15 минут.

Время приготовления: 30–35 минут.

Ингредиенты:

Содержит 1 допускаемый продукт

- 3 яйца;
- 3 столовые ложки с горкой мягкого обезжиренного творога (0 %);
- 2 чайные ложки кукурузного крахмала;
- половина чайной ложки сахарозаменителя;
- цедра 1 лимона;
- пара капель оливкового масла.

Отделить белки от желтков, взбить белки. Добавить в желтки кукурузный крахмал, сахарозаменитель, творог и лимонную цедру. Перемешать. Добавить взбитые белки. Разогреть духовку до 180 °С (термостат 6). Слегка смазать маслом форму для выпечки, вылить в нее тесто. Выпекать 30–35 минут.

Бисквит Женуаз ② ③ ④

Время подготовки: 10 минут.

Время приготовления: 20 минут.

Ингредиенты:

Содержит 1 допускаемый продукт

- 4 яйца;
- 2 столовые ложки кукурузного крахмала;
- цедра 1 лимона;
- 5 столовых ложек сахарозаменителя.

Разогреть духовку до 180 °С (термостат 6). Взбить белки до образования пены. Смешать желтки с сахарозаменителем, добавить лимонную цедру и кукурузный крахмал. Аккуратно смешать с белками. Вылить смесь в форму, покрытую бумагой для выпечки, и выпекать в течение 20 минут, пока тесто не покроется золотистой корочкой.

Снежки ② ③ ④

Время подготовки: 20 минут.

Время приготовления: 10 минут.

Ингредиенты:

- 250 мл обезжиренного молока;
- 2 яйца;
- 1 столовая ложка жидкого сахарозаменителя.

Вскипятить молоко в кастрюле.

Взбить яичные желтки с сахарозаменителем и медленно вылить их в горячее молоко. Подогревать на слабом огне, постоянно помешивая деревянной лопаточкой, чтобы масса не прилипала ко дну.

Не доводить до кипения, иначе желтки могут свернуться. Когда крем загустеет, снять кастрюлю с огня.

Белки взбить до образования густой пены. Аккуратно выкладывать столовой ложкой шарики из взбитых белков в кастрюлю с кипящей водой. Вынимать снежки шумовкой на сито. Дать воде стечь. Когда крем из желтков полностью остынет, положить на него шарики и можно подавать.

Безе ② ③ ④

Время подготовки: 10 минут.

Время приготовления: 15–20 минут.

Ингредиенты:

Содержит 1 допускаемый продукт

- 3 яичных белка;
- 2 чайные ложки обезжиренного какао (например, Van Houten 11 %);
- 6 столовых ложек сыпучего сахарозаменителя;
- 2 столовые ложки растворимого кофе.

Взбить белки до образования густой пены. Постепенно высыпать сахарозаменитель, смешанный с какао и кофе. Взбивать еще 30 секунд. На противне сформовать треугольные безе. Поставить их в духовку, предварительно нагретую до 150 °C (термостат 5). Выпекать безе 15–20 минут.

Примечание: чтобы пена получилась густая, сахарозаменитель следует добавлять, когда белки уже хорошо взбиты.

Японский крем ②③④

Время подготовки: 5 минут.

Время приготовления: 0 минут.

Ингредиенты:

Содержит 1 допускаемый продукт

- 2 чайные ложки обезжиренного сухого молока;
- 100 мл воды;
- 1 г желатина;
- 2 таблетки сахарозаменителя;
- четверть чайной ложки растворимого кофе.

Растворить сухое молоко в 100 мл воды. Добавить растворимый кофе и разогреть, не доводя до кипения. Добавить желатин (растворенный в холодной воде) и сахарозаменитель. Вылить смесь в вазочку и поставить в холодильник.

Яйца в молоке ②③④

Время подготовки: 10 минут.

Время приготовления: 40 минут.

Ингредиенты:

- 0,5 л обезжиренного молока;
- 4 яйца;
- 1 стручок ванили;
- 3 столовые ложки жидкого сахарозаменителя.

Вскипятить молоко с сахарозаменителем и ванилью. Взбить венчиком яйца в миске. Извлечь из молока стручок ванили и медленно вылить горячее молоко на взбитые яйца, постоянно помешивая.

Вылить смесь в жаропрочное блюдо и запекать 40 минут на водяной бане в духовке, разогретой до 220 °C (термостат 7). Подавать холодным.

Торт «Съешь меня» ② ③ ④

Рецепт Натальи Шевцовой (группа «Диета Дюкан» ВКонтакте)

Время подготовки: 20 минут.

Время приготовления: 25 минут.

Ингредиенты для теста:

Содержит 3 допускаемых продукта

- 6 столовых ложек овсяных отрубей;
- 2 столовые ложки пшеничных отрубей;
- 4 столовые ложки кукурузного крахмала;
- 4 яйца;
- 1 столовая ложка обезжиренного какао (жирность до 11 %, например, Van Houten);
- 200 г мягкого обезжиренного творога (0 %);
- 16 таблеток сахарозаменителя (раздавить ложкой и залить кипятком);
- 3 чайные ложки разрыхлителя;

Ингредиенты для крема:

- 6 столовых ложек сухого обезжиренного молока;
- 4 столовые ложки обезжиренного жидкого молока;
- 5 таблеток сахарозаменителя.

Приготовить тесто: растереть творог с яйцами, взбить миксером до получения однородной массы. Отдельно смешать все сухие ингредиенты. Соединить две смеси, помешивая венчиком. Разделить тесто на три больших куска, сформировать из них коржи и выложить в форму 30 см диаметром и выпекать при температуре 180 °С (термостат 6) до готовности.

Приготовить крем: перемешать все ингредиенты венчиком. Намазать каждый слой теста кремом, сверху можно украсить кремом с желе из каркаде на основе рецепта мармелада из кока-колы лайт (см. рецепт на вклейке).

Шоколадный пирог ② ③ ④

Время подготовки: 15 минут.

Время приготовления: 10–15 минут.

Ингредиенты:

Содержит 1 допускаемый продукт

- 3 больших яйца;
- 10 г обезжиренного какао (Van Houten не более 11 %);
- 1 столовая ложка сахарозаменителя;
- щепотка мускатного ореха.

Разогреть духовку до 180 °С (термостат 6). Отделить белки от желтков. Взбить яичные желтки с какао и сахарозаменителем. Взбить белки до образования пены. Смешать белковую смесь с желтками и какао, добавить мускатный орех. Вылить в форму. Выпекать 10–15 минут.

Шоколадный мусс ② ③ ④

Время подготовки: 10 минут.

Время приготовления: 5 минут.

2 часа

Ингредиенты:

- 125 г мягкого обезжиренного творога (0 %);
- 3 столовые ложки воды;

- 6 белков;
- 125 г диетического шоколада;
- 1 чайная ложка растворимого кофе;
- щепотка соли.

Смешать в миске воду, нарезанный на кусочки шоколад и кофе. Прикрыть алюминиевой фольгой и поместить в скороварку. Варить 5 минут. Взбить белки с солью до образования густой пены. Когда шоколад растает, достать миску из скороварки, добавить в массу творог и смешать до получения однородной консистенции. Аккуратно соединить шоколадную массу с белками. Разлить мусс по вазочкам. Поставить охлаждаться в холодильник на 2 часа.

Весенний пирог  

Время подготовки: 10 минут.
Время приготовления: 30 минут.
Ингредиенты:

- 500 г мягкого обезжиренного творога;
- 1 столовая ложка обезжиренного молока (0 %);
- 2 яйца;
- 50 г щавеля;
- 50 г свежего базилика;
- щепотка корицы;
- соль и перец.

Промыть, высушить и мелко нарезать зелень. Взбить миксером творог, обезжиренное молоко и яйца до однородной консистенции. Добавить зелень, корицу, соль и перец. Вылить массу в форму. Выпекать 30 минут в духовке при температуре 180 °С (термостат 6). Подавать можно горячим или теплым.

Пирог из ревеня ② ③ ④

Рецепт Елены Васильевой (группа «Диета Дюкан» ВКонтакте)

Время подготовки: 0 минут.
Время приготовления: 30 минут.
Ингредиенты:

- 2 стебля очищенного ревеня;
- 10 таблеток сахарозаменителя;
- 4 яйца;
- 2 столовые ложки овсяных отрубей;
- 1 столовая ложка пшеничных отрубей;
- 1 столовая ложка мягкого обезжиренного творога (0 %);
- 2 столовые ложки воды.

Приготовить начинку: нарезать кольцами ревень, положить в форму для выпечки, растворить 5 таблеток сахарозаменителя в воде, смешать с ревенем.

Накрыть фольгой и выпекать 15 минут при температуре 180 °С (термостат 6).

Приготовить основу пирога: смешать отруби, творог и 2 яйца.

Вылить тесто на сковороду с антипригарным покрытием и обжарить как блинчик, с двух сторон по две минуты.

Взбить в пену 2 яичных белка с оставшимся сахарозаменителем до образования пены.

Выложить в форму основу пирога, положить сверху запеченый ревень и аккуратно залить белками.

Выпекать 15 минут при 180 °С (термостат 6).

Диетическое мороженое ② ③ ④

Рецепт Ксении Харьковской (группа «Диета Дюкан» ВКонтакте)

Время подготовки: 20 минут.

Время приготовления: 15 минут.

3 часа

Ингредиенты:

Содержит 1 допускаемый продукт

- 3 больших яйца;
- 125 г мягкого обезжиренного творога (0 %);
- 1 стакан обезжиренного молока;
- 3 столовые ложки сухого обезжиренного молока (1,25 %);
- 4 чайные ложки сыпучего сахарозаменителя (или в таблетках);
- 1 стручок ванили.

Отделить белки от желтков. Взбить белки до образования густой пены с щепоткой соли (от качества взбивания зависит текстура мороженого, оно не должно распадаться на части). Добавить 1 чайную ложку сахарозаменителя. Консистенция должна быть такой, чтобы белки не выливались на стол при перевернутой миске.

Смешать желтки с оставшимся сахарозаменителем и молоком. Разломать стручок ванили и добавить в смесь. Варить до загустения на маленьком огне, постоянно помешивая (смесь должна стать кашеобразной). Желтки не должны сворачиваться в комочки. Если это все-таки произошло, необходимо воспользоваться блендером. Когда желтки с молоком будут готовы, достать стручок ванили и остудить смесь. Добавить творог и сухое молоко, довести до однородной смеси. Смешать белки с полученной массой (лучше руками, чтобы белки не опали). Вылить в мороженицу и оставить до замерзания.

Если мороженицы нет под рукой, придется поработать. Поместить смесь в морозилку. Вынимать каждые 10–30 минут и перемешивать (пока смесь не сильно затвердела, лучше это делать миксером). Через пару часов мороженое готово.

Диетическое мороженое ② ③ ④

Время подготовки: 15 минут.

Время приготовления: 0 минут.

3 часа

Ингредиенты:

Содержит 1 допускаемый продукт

- 300 г мягкого обезжиренного творога (0 %);
- 1 столовая ложка сметаны 4 % жирности;
- 3 яичных желтка;
- 2 яичных белка;
- 3 столовые ложки сыпучего сахарозаменителя;
- ароматизатор по вкусу.

Взбить творог с яичными желтками, сметаной, сахарозаменителем и ароматизатором. Взбить белки до образования пены, соединить их с другими ингредиентами. Выложить смесь в форму и поставить в морозильник.

Замороженное суфле с какао ② ③ ④

Время подготовки: 10 минут.

Время приготовления: 0 минут.

3 часа

Ингредиенты:

Содержит 1 допускаемый продукт

- 200 г мягкого обезжиренного творога (0 %);
- 4 яичных белка;

- 6 столовых ложек любого обезжиренного какао (например, Van Houten 11 %);
- 6 столовых ложек сыпучего сахарозаменителя.

Смешать творог с какао, протереть его через сито. Взбить миксером. Взбить белки и сахарозаменитель до получения пены. Аккуратно соединить белки с творогом. Выложить форму для суфле алюминиевой фольгой, чтобы фольга выступала не менее чем на 3 см за края формы. Вылить смесь в форму (она не должна доходить до верхнего края алюминиевой фольги) и поместить в морозильную камеру на 3 часа. Затем достать суфле, снять фольгу и сразу подавать.

Пирог «5 минут» 

Рецепт Максима Хаустова (группа «Диета Дюкан» ВКонтакте)

Время подготовки: 5 минут.

Время приготовления: 50 минут.

Ингредиенты:

Содержит 1 допускаемый продукт

- 500 г обезжиренного кефира (0 %);
- 1 яйцо;
- 1 пакетик ванильного пудинга Dr.Oetker (содержит кукурузный крахмал);
- 1 пакетик ванилина;
- 1 пакетик разрыхлителя;
- 8 таблеток сахарозаменителя.

Таблетки сахарозаменителя растворить в небольшом количестве теплой воды, все ингредиенты тщательно перемешать, вылить в форму для запекания. Выпекать в духовке 40–50 минут при 160–180 °С (термостат 6).

Овсяные булочки ② ③ ④

Рецепт Ольги Исаченко (группа «Диета Дюкан» ВКонтакте)

Время подготовки: 10 минут.

Время приготовления: 30 минут.

Ингредиенты:

Содержит 1 допускаемый продукт

- 4 столовые ложки овсяных отрубей;
- 2 столовые ложки пшеничных отрубей;
- 3 столовые ложки сухого обезжиренного молока;
- 3 яйца;
- 200 мл обезжиренного молока;
- 5–7 таблеток сахарозаменителя;
- ванилин по вкусу;
- корица по вкусу;
- 1 чайная ложка разрыхлителя.

Растворить сахарозаменитель в двух ложках воды. Отделить желтки от белков. Смешать все ингредиенты, кроме белков.

Белки взбить отдельно до образования густой пены. Соединить 2 смеси. Разложить по силиконовым формам. Выпекать при температуре 200 °С (термостат 6–7) около 30 минут.

Овсяное печенье ② ③ ④

Рецепт Натальи Шевцовой (группа «Диета Дюкан» ВКонтакте)

Время подготовки: 10 минут.

Время приготовления: 20 минут.

Ингредиенты:

Содержит 2 допускаемых продукта

- 6 столовых ложек овсяных отрубей;
- 2 столовые ложки обезжиренного сухого молока;
- 4 столовые ложки кукурузного крахмала;
- 1 чайная ложка разрыхлителя;
- 2 столовые ложки молока;
- 1 баночка (150 г) обезжиренного йогурта (0 %);
- сахарозаменитель по вкусу.

Смешать сухие ингредиенты, добавить молоко и йогурт, все тщательно перемешать.

Положить на противень пекарскую бумагу, а на нее – чайной ложкой выложить полученную массу.

Выпекать в духовке при температуре 175 °С (термостат 6) до готовности (около 20 минут).

Кекс за 3 минуты ② ③ ④

Рецепт Ольги Исаченко (группа «Диета Дюкан» ВКонтакте)

Время подготовки: 5 минут.

Время приготовления: 3 минуты.

Ингредиенты:

Содержит 2 допускаемых продукта

- 4 столовые ложки овсяных отрубей;
- 2 столовые ложки пшеничных отрубей;
- 1 столовая ложка обезжиренного какао (например, Van Houten 11% жирности);

- 2 столовые ложки сухого молока;
- 1 чайная ложка разрыхлителя;
- 7 таблеток сахарозаменителя;
- 150 мл обезжиренного молока.

Растворить сахарозаменитель в двух ложках воды. Молоко слегка подогреть. Смешать все ингредиенты. Все перемешать, не взбивать и долго не вымешивать. Должна получиться жидкая масса, которую нужно разлить в чайные чашки или пиалы и выпекать в микроволновой печи на максимальной мощности всего 3 минуты.

Творожные кексы ② ③ ④ с ягодной начинкой

Рецепт Ксении Харьковской (группа «Диета Дюкан» ВКонтакте)

Время подготовки: 10 минут.

Время приготовления: 40 минут.

Ингредиенты:

Содержит 3 допускаемых продукта

- 2 яйца;
- 150 г жидкого обезжиренного творога (0 %);
- 3 столовые ложки овсяных отрубей;
- 2 столовые ложки кукурузного крахмала;
- 3 столовые ложки сухого молока;
- 1 пакетик разрыхлителя;
- сахарозаменитель по вкусу;
- 2 столовые ложки ягод годжи.

Яйца (не разделяя на белки и желтки) смешать до однородности с творогом.

По очереди добавить все сухие ингредиенты, кроме ягод, и тщательно перемешать.

Силиконовые формочки для кексов наполовину заполнить тестом. В центр положить ягоды и сверху аккуратно закрыть еще одной ложкой теста так, чтобы ягоды оказались внутри теста.

Выпекать в духовке при температуре 170 °C (термостат 6) в течение 30–40 минут.

Кофейный чизкейк ② ③ ④

Рецепт Марии Окуловой (группа «Диета Дюкан» ВКонтакте)

Время подготовки: 15 минут.

Время приготовления: 30 минут.

Ингредиенты:

Содержит 1 допускаемый продукт

- 500 г мягкого обезжиренного творога;
- 3 столовые ложки обезжиренного молока (0 %);
- 3 яйца;
- 4 столовые ложки овсяных отрубей;
- 2 столовые ложки кукурузного крахмала;
- 2 чайные ложки растворимого кофе;
- 1 чайная ложка корицы;
- 1 чайная ложка разрыхлителя;
- 1 чайная ложка сока лимона;
- 3–4 чайные ложки сыпучего сахарозаменителя.

Белки отделить от желтков и взбить до образования достаточно густой пены. Добавить разрыхлитель и несколько капель лимонного сока. Снова взбить. Важно, чтобы белки были охлажденными, иначе они будут плохо взбиваться.

Поместить в стакан для блендера желтки, творог, молоко, сахарозаменитель, крахмал, отруби, кофе и корицу. Смешать все блендером до образования однородной массы. Соединить полученную массу со взбитыми белками, смешать с помощью блендера.

Выпекать в духовке при температуре 200 °С (термостат 6–7) около 30 минут. Можно использовать стеклянную форму с крышкой: легко следить за готовностью, готовый продукт очень хорошо отделяется от посуды. Крышка предохранит от пригорания верхнего слоя.

Тирамису ② ③ ④

Рецепт Полины Рабинович (группа «Диета Дюкан» ВКонтакте)

Время подготовки: 20 минут.

Время приготовления: 7 минут.

2 часа

Содержит 1 допускаемый продукт

Ингредиенты:

- 1 чашка сладкого кофе.

Ингредиенты для печенья:

- 1 яйцо;
- 1 чайная ложка разрыхлителя;
- 1 столовая ложка жидкого обезжиренного творога или йогурта (0 %);
- 2 столовые ложки сухого обезжиренного молока;
- ванилин или ваниль.

Ингредиенты для крема:

- 3 яйца;
- 250 г обезжиренного йогурта (0 %);
- сахарозаменитель по вкусу.

Смешать все ингредиенты для печенья. Затем вылить в форму и поставить в микроволновую печь на 5–7 минут при максимальной мощности.

Нарезать или поломать корж на небольшие кусочки и обмакнуть в сладкий кофе (в кофе добавить сахарозаменитель).

Для приготовления крема отделить белки от желтков. Взбить белки до получения густой пены (можно добавить щепотку соли). Смешать йогурт с желтками и заменителем сахара. Аккуратно соединить желтки с белками.

Выложить в бокалы или формочки часть крема, потом кусочки печенья, а сверху залить оставшимся кремом. Посыпать обезжиренным какао (допускаемый продукт) и поставить на 1–2 часа в холодильник.

Белый шоколад «Дюкан» ② ③ ④

Рецепт Мосюк Натальи (группа «Диета Дюкан» ВКонтакте)

Время подготовки: 10 минут.

3 часа

Время приготовления: 0 минут.

Ингредиенты:

Содержит 1 допускаемый продукт

- 16 столовых ложек сухого обезжиренного молока;
- 12 столовых ложек обезжиренного молока;
- ароматизатор «шоколад», по вкусу.

Сухое и жидкое молоко тщательно перемешать, должна получиться густая масса, по желанию добавить сахарозаменитель и ароматизатор. Осторожно: масса может получиться слишком сладкой, если сухое молоко уже сладкое. Выложить массу в силиконовую форму или в любую другую, выстеленную бумагой для выпечки, размазать до толщины шоколадки и поместить в холодильник, пока масса не застынет. Достать из формы, порезать на кусочки. Если масса долго не застывает, поставьте ее в морозильник.

СОУСЫ

Майонез «Дюкан» 

Время подготовки: 7 минут.

Время приготовления: 5 минут.

Ингредиенты:

- 3 желтка;
- 2 чайные ложки горчицы;
- 1 чайная ложка уксуса;
- 5 столовых ложек вазелинового масла;
- несколько веточек укропа;
- соль и перец.

Положить желтки комнатной температуры в небольшую миску. Добавить уксус, мелко порезанный укроп, горчицу, соль и перец. Отставить в сторону на 5 минут.

Перемешать смесь чайной ложкой, взять миксер и аккуратно взбивать, добавляя струйкой вазелиновое масло. Через минуту взбивать быстрее, движениями вверх-вниз, продолжая добавлять масло.

Майонез должен получиться густым и почти белым.

Соус с луком-шалотом  

Время подготовки: 10 минут.

Время приготовления: 10 минут.

Ингредиенты:

- 12 луковиц-шалот;
- 1 яичный желток;
- 8 столовых ложек белого винного уксуса;
- 13 столовых ложек обезжиренного молока;
- соль и перец.

Лук-шалот очистить, измельчить и положить в кастрюлю. Залить уксусом. Варить 10 минут. Снять с огня, добавить молоко, взбитый яичный желток и приправить.

Луковый соус 

Время подготовки: 10 минут.

Время приготовления: 2 минуты.

Ингредиенты:

- 8 столовых ложек овощного бульона;
- 50 г мягкого обезжиренного творога (0 %);
- 1 большая луковица;
- 1 чайная ложка горчицы;
- 1 столовая ложка белого винного уксуса;
- 1 яичный желток;
- соль, перец.

Очистить и мелко нарезать лук. Положить лук в кастрюлю, залить бульоном и разогреть в течение 2 минут на среднем огне. Смешать в миске яичный желток, обезжиренный творог, уксус, горчицу, соль и перец. Медленно вылить на смесь охлажденный бульон, постоянно помешивая. Подавать холодным.

Творожный соус ② ③ ④

Время подготовки: 10 минут.

Время приготовления: 0 минут.

Ингредиенты:

- 100 г мягкого обезжиренного творога (0 %);
- 2 маленькие луковицы;
- половина клубня фенхеля;
- половина лимона;
- несколько веточек свежего базилика или петрушки;
- соль и перец.

Смешать творог с лимонным соком. Посолить и поперчить. Добавить очищенные и мелко нарезанные луковицы, фенхель и базилик. Тщательно смешать все ингредиенты (ложкой или блендером в зависимости от того, какую консистенцию хотите получить) и охладить перед подачей на стол.

Шафрановый соус ② ③ ④

Время подготовки: 2 минуты.

Время приготовления: 0 минут.

Ингредиенты:

Содержит 1 допускаемый продукт

- 100 мл рыбного бульона;
- 1 чайная ложка кукурузного крахмала;

- щепотка шафрана;
- соль, перец.

Растворить кукурузный крахмал в рыбном бульоне. Добавить шафран. Посолить и поперчить.

Соус с каперсами ② ③ ④

Время подготовки: 10 минут.

Время приготовления: 15 минут.

Ингредиенты:

- 12 каперсов;
- 7 малых корнишонов;
- 4 столовые ложки обезжиренного молока;
- 2 столовые ложки томатной пасты без сахара;
- 100 мл воды;
- соль и перец.

Смешать молоко и томатную пасту. Добавить воду и мелко нарезанные корнишоны. Варить 15 минут, затем добавить соль, перец и каперсы. Сразу подавать.

Соус из шпината 

Время подготовки: 10 минут.

Время приготовления: 1 минута.

Ингредиенты:

- 100 г шпината;
- 200 мл постного куриного бульона;
- 2 столовые ложки обезжиренного йогурта (0 %);

- щепотка молотого мускатного ореха;
- соль.

Вымыть шпинат и бланшировать в подсоленной кипящей воде. Слить воду и измельчить блендером. Добавить йогурт и куриный бульон. Подогреть 1 минуту на сильном огне. Добавить соль и мускатный орех.

Соус со свежей зеленью 

Время подготовки: 15 минут.

Время приготовления: 2 минуты.

Ингредиенты:

Содержит 1 допускаемый продукт

- 100 мл воды;
- 2 столовые ложки мягкого обезжиренного творога (0 %);
- 2 луковицы-шалот;
- 2 чайные ложки кукурузного крахмала;
- 2 зубчика чеснока;
- 3 веточки петрушки;
- треть чайной ложки эстрагона;
- 4 веточки зеленого лука;
- соль и перец.

Мелко нарезать свежую зелень, лук-шалот и чеснок. Растворить кукурузный крахмал в воде и смешать с творогом. Добавить чеснок и лук-шалот. Подогреть на медленном огне 2 минуты и только перед подачей на стол добавить зелень, посолить и поперчить.

Соус бешамель ②③④

Время подготовки: 6 минут.

Время приготовления: 4–5 минут.

Ингредиенты:

Содержит 1 допускаемый продукт

- 0,5 л обезжиренного молока;
- 2 столовые ложки кукурузного крахмала;
- щепотка мускатного ореха;
- соль и перец.

Растворить кукурузный крахмал в кастрюле с холодным молоком, помешивая венчиком. Варить на медленном огне, помешивая деревянной лопаточкой, пока соус не загустеет. Посолить, поперчить и приправить мускатным орехом.

Белый соус ②③④

Время подготовки: 15 минут.

Время приготовления: 3 минуты.

Ингредиенты:

Содержит 1 допускаемый продукт

- 250 мл куриного бульона;
- 2 столовые ложки обезжиренного молока;
- 1 столовая ложка кукурузного крахмала;
- щепотка мускатного ореха;
- соль и перец.

Сварить бульон, остудить и смешать с молоком, затем растворить в нем кукурузный крахмал. Варить на медленном огне, помешивая деревянной лопаточкой, пока соус не загустеет. Затем снять с огня, посолить и поперчить. Добавить мускатный орех.

Китайский соус  

Время подготовки: 15 минут.

Время приготовления: 0 минут.

Ингредиенты:

- 1 луковица;
- 1 чайная ложка уксуса;
- 1 лимон;
- 1 чайная ложка горчицы;
- щепотка молотого имбиря;
- соль, перец.

Мелко порезать лук. Смешать уксус, горчицу и имбирь. Добавить лимонный сок и лук, хорошо перемешать. Посолить и поперчить.

Соус из зеленого лука и лайма ② ③ ④

Время подготовки: 10 минут.

Время приготовления: 5 минут.

Ингредиенты:

Содержит 2 допускаемых продукта

- 125 мл обезжиренного молока;
- 4 столовые ложки сметаны (5 % жирности);
- 4 чайные ложки кукурузного крахмала;

- 1 лайм;
- 1 чайная ложка перца;
- 1 пучок зеленого лука;
- соль, перец.

Подогреть в кастрюле молоко и сметану, помешивая ложкой. Добавить кукурузный крахмал и довести до кипения. Порезать зеленый лук, смешать его с лимонным соком, солью и перцем. Соединить все ингредиенты.

Лимонный соус 

Время подготовки: 10 минут.

Время приготовления: 0 минут.

Ингредиенты:

- 100 г обезжиренного йогурта (0 %);
- половина лимона;
- 1 пучок зеленого лука;
- соль и перец.

Выжать сок из лимона и смешать его с йогуртом. Мелко нарезать лук и добавить в йогурт. Посолить и поперчить.

Соус карри  

Время подготовки: 10 минут.

Время приготовления: 10 минут.

Ингредиенты:

- 100 г обезжиренного йогурта (0 %);
- 1 яйцо;

- 1 чайная ложка порошка карри;
- половина луковицы.

Сварить яйцо вкрутую, очистить, белок отложить, а желток размять. Лук очистить и мелко нарезать, смешать с размятым яичным желтком и карри. Медленно добавить йогурт, постоянно помешивая.

Соус из острого перца 

Время подготовки: 15 минут.

Время приготовления: 40 минут.

Ингредиенты:

- 4 помидора;
- 1 луковица;
- 1 красный перец;
- 1 желтый перец;
- 100 мл белого винного уксуса;
- 1 чайная ложка жидкого сахарозаменителя;
- щепотка кайенского перца;
- соль и перец.

Помидоры и перцы вымыть, очистить и удалить из них семена. Очистить и мелко нарезать лук.

Измельчить блендером все ингредиенты.

Процедить образовавшееся пюре и вылить в кастрюлю. Варить 40 минут на слабом огне под крышкой.

Творожный соус с помидорами ② ③ ④ (соус грелет)

Время подготовки: 10 минут.

Время приготовления: 0 минут.

Ингредиенты:

- 4 свежих помидора;
- 100 г мягкого обезжиренного творога (0 %);
- 5 луковиц-шалот;
- сок 1-го лимона;
- соль и перец.

Бланшировать помидоры 30 секунд в кипящей воде. Все ингредиенты перемешать блендером. Приправить по вкусу. Подавать охлажденным.

Соус грибиш ② ③ ④

Время подготовки: 10 минут.

Время приготовления: 10 минут.

Ингредиенты:

- 250 г мягкого обезжиренного творога (0 %);
- 2 яйца;
- 3 корнишона;
- 1 луковица-шалот;
- 1 столовая ложка яблочного уксуса;
- 2 столовые ложки вазелинового масла;
- 1 чайная ложка горчицы;
- эстрагон, соль, перец по вкусу.

Сварить яйца вкрутую, остудить. Смешать в миске горчицу, уксус, соль и перец. Добавить вазелиновое масло, творог, мелко нарезанные яйца, лук и корнишоны. Приправить по вкусу.

Голландский соус ① ② ③ ④

Время подготовки: 15 минут.

Время приготовления: 5 минут.

Ингредиенты:

- 1 яйцо;
- 1 столовая ложка обезжиренного молока;
- 1 столовая ложка лимонного сока;
- 1 чайная ложка горчицы;
- соль, перец.

Отделить белок от желтка. Желток, горчицу и молоко вылить в маленькую кастрюлю и варить на водяной бане, взбивая венчиком, пока соус не загустеет. Снять с огня и, продолжая взбивать, добавить лимонный сок, соль и перец.

Взбить белки до образования густой пены и добавить в соус, тщательно перемешать.

Лионский соус 

Время подготовки: 10 минут.

Время приготовления: 0 минут.

Ингредиенты:

- 120 г мягкого обезжиренного творога (0 %);
- 1 луковица-шалот;
- 1 столовая ложка белого винного уксуса;
- 1 зубчик чеснока;
- соль, перец.

Очистить и измельчить чеснок и лук-шалот. Смешать творог с уксусом, посолить и поперчить. Добавить чеснок и лук-шалот. Взбить венчиком до однородной консистенции.

Горчичный соус 

Время подготовки: 10 минут.

Время приготовления: 5 минут.

Ингредиенты:

Содержит 1 допускаемый продукт

- 200 мл воды;
- 1 вареный яичный желток;
- 2 чайные ложки кукурузного крахмала;
- 2 чайные ложки уксуса;
- 2 чайные ложки горчицы;
- немного свежей зелени;
- соль и перец.

Сварить кукурузный крахмал в воде, остудить. Добавить яичный желток, уксус, горчицу, зелень, соль и перец. Если соус кажется слишком густым, добавить уксус.

Португальский соус ① ② ③ ④

Время подготовки: 10 минут.

Время приготовления: 30 минут.

Ингредиенты:

- 8 помидоров;
- 1 столовая ложка томатной пасты без сахара;
- 6 зубчиков чеснока;

- 1 зеленый перец;
- 2 средние луковицы;
- 2 лавровых листа;
- щепотка кайенского перца;
- прованские травы;
- соль и перец.

Помидоры перемешать с толченым чесноком, измельченным луком и прованскими травами. Посолить, поперчить, положить лавровые листья и варить 10 минут на сильном огне. Добавить томатную пасту, нарезанный тонкой соломкой сладкий перец и варить около 20 минут на медленном огне. Удалить лавровый лист, а остальную смесь перемешать. Приправить острым перцем.

АЛФАВИТНЫЙ УКАЗАТЕЛЬ РЕЦЕПТОВ

Номера страниц, выделенные жирным шрифтом, относятся к вклейке

ПРЕДМЕТНЫЙ УКАЗАТЕЛЬ ИНГРЕДИЕНТОВ

Л

М

Н

О

П

Научно-популярное издание

ДИЕТА ДОКТОРА ДЮКАНА

Пьер Дюкан

350 РЕЦЕПТОВ ДИЕТЫ ДЮКАН

Ответственный редактор *Т. Решетник*
Художественный редактор *Е. Анисина*

ООО «Издательство «Э»
123308, Москва, ул. Зорге, д. 1. Тел. 8 (495) 411-68-86.

Өндіруші: «Э» АҚБ Баспасы, 123308, Мәскеу, Ресей, Зорге көшесі, 1 үй.
Тел. 8 (495) 411-68-86.
Тауар белгісі: «Э»
Қазақстан Республикасында дистрибьютор және өнім бойынша арыз-талаптарды қабылдаушының өкілі «РДЦ-Алматы» ЖШС, Алматы қ., Домбровский көш., 3«а», литер Б, офис 1.
Тел.: 8 (727) 251-59-89/90/91/92, факс: 8 (727) 251 58 12 вн. 107.
Өнімнің жарамдылық мерзімі шектелмеген.
Сертификация туралы ақпарат сайтта Өндіруші «Э»

Сведения о подтверждении соответствия издания согласно законодательству РФ о техническом регулировании можно получить на сайте Издательства «Э»

Өндірген мемлекет: Ресей
Сертификация қарастырылмаған

Подписано в печать 23.05.2016. Формат 70x90$^{1}/_{16}$.
Печать офсетная. Усл. печ. л. 22,17.
Доп. тираж 7000 экз. Заказ № 958.

Отпечатано в ООО «Тульская типография».
300026, г. Тула, пр. Ленина, 109.

ISBN 978-5-699-48054-8

Оптовая торговля книгами Издательства «Э»:
142700, Московская обл., Ленинский р-н, г. Видное,
Белокаменное ш., д. 1, многоканальный тел.: 411-50-74.

По вопросам приобретения книг Издательства «Э» зарубежными оптовыми покупателями обращаться в отдел зарубежных продаж
International Sales: International wholesale customers should contact Foreign Sales Department for their orders.

По вопросам заказа книг корпоративным клиентам, в том числе в специальном оформлении, *обращаться по тел.: +7 (495) 411-68-59, доб. 2261.*

Оптовая торговля бумажно-беловыми и канцелярскими товарами для школы и офиса:
142702, Московская обл., Ленинский р-н, г. Видное-2,
Белокаменное ш., д. 1, а/я 5. Тел./факс: +7 (495) 745-28-87 (многоканальный).

Полный ассортимент книг издательства для оптовых покупателей:
В Санкт-Петербурге: ООО СЗКО, пр-т Обуховской Обороны, д. 84Е.
Тел.: (812) 365-46-03/04.
В Нижнем Новгороде: 603094, г. Нижний Новгород, ул. Карпинского, д. 29,
бизнес-парк «Грин Плаза». Тел.: (831) 216-15-91 (92/93/94).
В Ростове-на-Дону: ООО «РДЦ-Ростов», 344023, г. Ростов-на-Дону,
ул. Страны Советов, 44 А. Тел.: (863) 303-62-10.
В Самаре: ООО «РДЦ-Самара», пр-т Кирова, д. 75/1, литера «Е».
Тел.: (846) 269-66-70.
В Екатеринбурге: ООО«РДЦ-Екатеринбург», ул. Прибалтийская, д. 24а.
Тел.: +7 (343) 272-72-01/02/03/04/05/06/07/08.
В Новосибирске: ООО «РДЦ-Новосибирск», Комбинатский пер., д. 3.
Тел.: +7 (383) 289-91-42.
В Киеве: ООО «Форс Украина», г. Киев,пр. Московский, 9 БЦ «Форум».
Тел.: +38-044-2909944.

Полный ассортимент продукции Издательства «Э» можно приобрести в магазинах «Новый книжный» и «Читай-город».
Телефон единой справочной: 8 (800) 444-8-444.
Звонок по России бесплатный.

В Санкт-Петербурге: в магазине «Парк Культуры и Чтения БУКВОЕД»,
Невский пр-т, д.46. Тел.: +7(812)601-0-601, www.bookvoed.ru

Розничная продажа книг с доставкой по всему миру.
Тел.: +7 (495) 745-89-14.